Federico B. Kirbus
Periodista, escritor, investigador.
A journalist, writer and researcher.

Jorge Schulte
Médico de profesión, viajero y fotógrafo por vocación.
Profession: M.D.
His vocation: traveller and photographer.

Marlú Kirbus
Viajera, productora de fotografía.
Traveller, photographic producer.

PATAGONIA

388.82 Kirbus, Federico B.
KIR Patagonia. - 1ª ed. – Buenos Aires: Ediciones Del Eclipse, 2003.
96 p. ; 26x18 cm. – (Turismo)

ISBN 987-9011-52-X

I. Título. - 1. Turismo-Patagonia Argentina

Fecha de catalogación: 08-04-03

Julián Alvarez 843 (1414) Buenos Aires
República Argentina
Tel.: (0054-11) 4771-3583
www.deleclipse.com

Queda hecho el depósito que marca la ley Nº 11.723

Impreso en Argentina
Printed in Argentina

PATAGONIA

Federico B. Kirbus
Jorge Schulte

Coproducción fotográfica / Photographic co production:
Marlú Kirbus

Ilustraciones / Illustrations:
Gustavo Carrizo

Versión inglesa / English version by:
Simon Gadsdon

Con la colaboración de / In collaboration with:
Santiago G. de la Vega, Germán Sopeña, Antonio Legarreta, Edgardo Abel de la Nava, Alexis Simunovic, Centro de Información Turística de la provincia de Santa Cruz

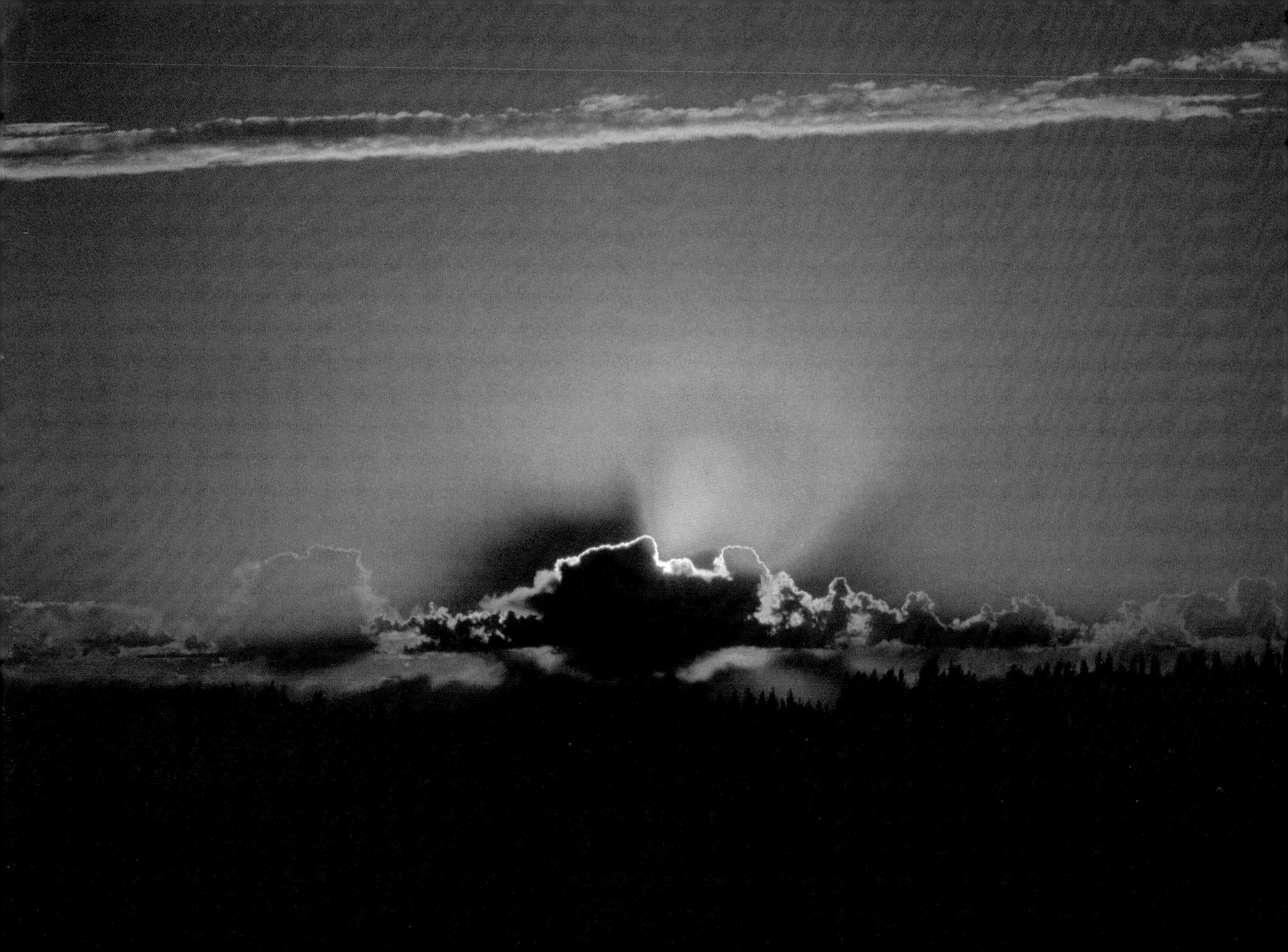

La enorme vastedad de la Patagonia abarca tierras feraces donde la naturaleza mantiene en forma sus fuerzas y no entrega sus recursos al hombre sin que éste deba aplicar al máximo su esfuerzo y su voluntad de obtenerlos. Las riquezas faunística, antropológica y paleontológica, no menos valiosas que la sobrecogedora belleza de sus singulares paisajes, motivan que cada temporada más y más personas de todo el mundo se acerquen a los circuitos turísticos que unen los diversos y distantes puntos de mayor interés, especialmente desde el paralelo 42° S.
Esta obra, si bien hace mención de otras zonas de indudable atracción, está particularmente dedicada a esa Patagonia austral que deja un recuerdo imborrable y un deseo eterno de regresar a ella en quien alguna vez la ha visitado.
Bienvenidos a esta recorrida por la última frontera.

Patagonia, a vast territory, boasts intensely fertile lands where Nature keeps its powers at full strength, and refuses to surrender its resources to humankind unless he applies his utmost effort and will, to obtain its riches. Fauna, anthropological, and paleontological treasures –as valuable as Patagonia's singularly beautiful landscapes– cause more and more people the world over to come and join in the tourist excursions uniting the different, far away spots of interest, especially to the south of 42ºS parallel.
Even though other undoubtedly interesting areas are mentioned herein, this book is particularly focused on austral Patagonia –indeed, once you have visited it, austral Patagonia leaves you with everlasting memories and a longing to go back there.
Welcome to this tour of the last frontier!

Ubicación / Location

Al norte del istmo Ameghino emerge de las aguas del Golfo San José la Isla de los Pájaros, una reserva natural estricta donde se protege una numerosa avifauna.

North of the Ameghino isthmus the Isla de los Pájaros raises in the San José Gulf as a strikt natural reserve for many species of birds.

En el pasado la costa atlántica era protegida por numerosos faros, como este de 1887 en la desembocadura del río Negro. Es el más antiguo de la Patagonia.

In the past the Patagonian shore was protected by lighthouses like this one, built in 1887, near the mouth of the río Negro. It is the oldest still existing.

La recorrida que haremos en el presente libro se inicia a partir del paralelo 42° S y llega hasta la punta sur de Tierra del Fuego, mítico lugar donde se emplaza el *Faro del Fin del Mundo*.

The trip that we will do in this book begins at the 42ºS parallel and ends in the southern point of Tierra del Fuego, mystical place where is builded the *Faro del Fin del Mundo*.

Distancias en kilómetros
Distances in kilometers

PN Lago Puelo (23.700 ha)

Por su baja altura permite el ingreso, desde la selva valdiviana de Chile, de especies de árboles únicos en territorio argentino.
Unique tree species from the Valdiviana forest in Chile run through the Argentine territory due to the low altitude of the park.

PN Los Alerces (263.000 ha)

El alerzal en el brazo Norte del lago Menéndez contiene árboles de hasta 2.500 años de antigüedad; también está presente el pudú pudú, el ciervo más pequeño del mundo.
Alerce trees up to 2,500-years-old are found on the northern branch of the Lake Menéndez area, also the smallest stag in the world the Pudu-pudu can be found there.

PN Perito Moreno (115.000 ha)

Presenta una población importante de huemules; en los lagos y ríos sólo hay peces autóctonos.
An important huemul population exists in the area. Only autochthonous fish live in local lakes and rivers.

RN Los Glaciares (660.000 ha)

Trece ventisqueros mayores y 190 glaciares menores bajan del Hielo Continental a los lagos Viedma y Argentino; incluye el monte Fitz Roy o Chaltén y la cadena del cerro Torre.
Thirteen major glaciers and 190 lesser glaciers run from the Continental Ice Cap to Lake Viedma and Lake Argentino and are embodied by Mount Fitz Roy (also called Chaltén), and the Torre Range.

PN Torres del Paine (Chile)

Reserva Natural de unas 200.000 ha creada en 1959. Lagos, glaciares y bioma genuinos. Cordón de torres rocosas coronado por el Paine Grande, de 2400 m.
A natural reservation some 200,000-hectares wide was developed in 1959. The reservation includes lakes, glaciers and a genuine biome. Paine Grande Mount, 2,400-metres high, towers above a range of rocky peaks.

PN Tierra del Fuego (63.000 ha)

Protege el ciprés de las guaytecas y otras especies propias de la región, como lenga, ñire y coíhue de Magallanes.
The park is a botanical sanctuary for the guayteca cypress, and other native species such as the lenga, ñire, and Magellan coíhue.

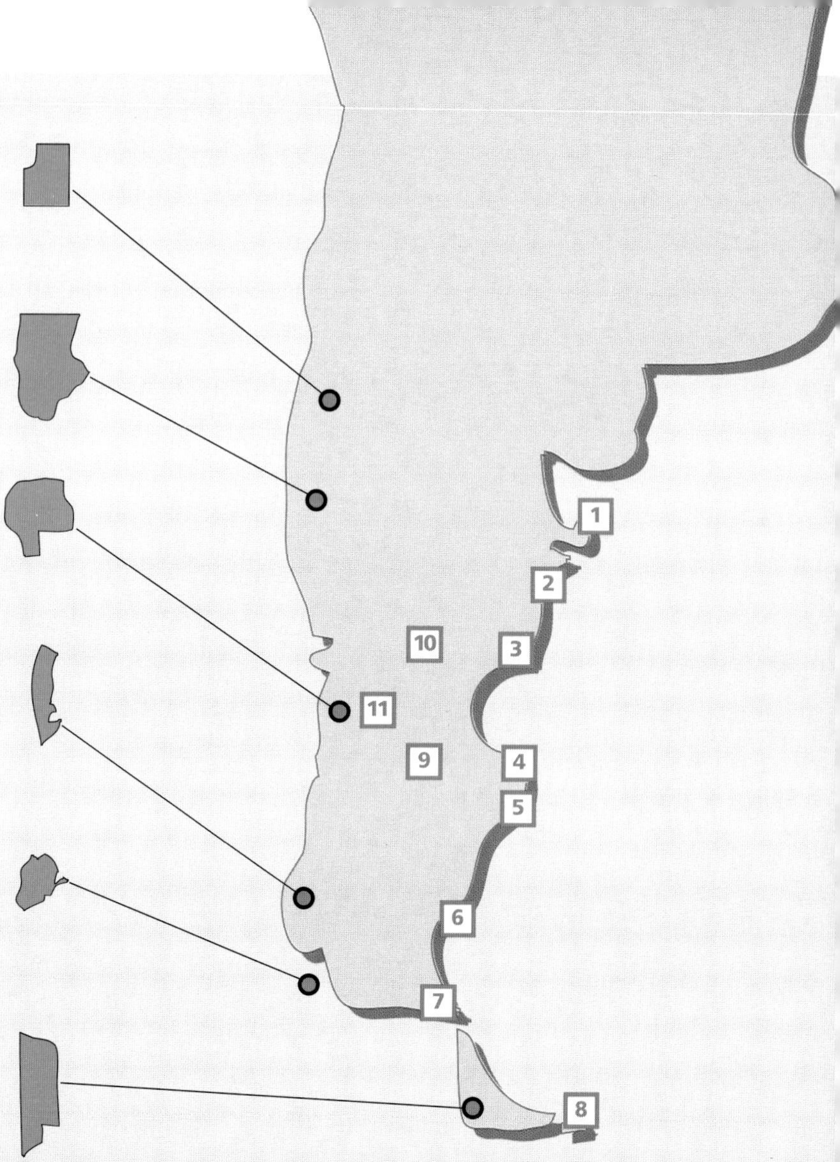

PN: Parque Nacional / National Park; **RP**: Reserva Provincial / Provincial Reservation; **MN**: Monumento Natural / Natural Monument; **MA**: Monumento Arqueológico / Archaeo

1 Peninsula Valdés

Reservas faunísticas Punta Pirámide, Punta Delgada, Caleta Valdés y Punta Norte: asentamientos de elefantes marinos australes y lobos de un pelo. En el Parque Marino Provincial Golfo San José: refugio de la ballena franca austral (de mayo a diciembre). Isla de los Pájaros: nidificación del pingüino de Magallanes, cormoranes, garzas, gaviotas y gaviotines.

Pirámides Point, Delgada Point, Valdés Cove, and Norte Point are fauna sanctuaries for elephant seals, and the so-called one-haired sea wolves (sea lion). Provincial Parque Marino reservation on San José gulf: A sanctuary for southern right whales from May to December. Pájaros Island: A nesting area for Magellan penguin, cormorants, herons, and seagulls.

2 RNT Punta Tombo

La más numerosa colonia de nidificación del pingüino de Magallanes (cerca de dos millones de parejas); además hay ciertas especies de cormoranes, gaviotas cocineras y gaviotines.

The reservation hosts the greatest nesting colony of Magellan penguins (almost 2-millon couples). Cormorants and other gull species also nest there.

3 RNT Cabo Dos Bahías

La segunda pingüinera de la provincia de Chubut, después de Punta Tombo, y asentamiento de lobos marinos de un pelo.

Located in the Province of Chubut, Dos Bahías Cape is a penguin sanctuary second only to Punta Tombo (Magellan penguin). Sea lions also populate the area.

4 RN Cabo Blanco

El más importante asentamiento patagónico del lobo marino de dos pelos.

Cape harbours the largest Patagonian colony of the so-called two haired sea lion.

5 RN Puerto o Ría Deseado

Interesante formación geológica por ingresión marina; hay cinco especies de cormoranes, tonina overa y lobos marinos.

An interesting geological formation created by its flow into the sea. The reservation shelters five species of cormorants, and sea lions.

6 PN Monte León

Primer parque nacional costero-marino, con importantes colonias de lobos marinos, pingüinos y aves costeras.

First coast-sea national park with penguins sea wolfs and sea birds colonies.

7 RP Cabo Vírgenes

Colonia de nidificación del pingüino de Magallanes, la segunda en importancia de todo el litoral patagónico.

Cape is the second most important nesting colony for Magellan penguins on the whole of the Patagonian coastline.

8 RP Isla de los Estados

Islote rocoso de 530 km2, deshabitado, con bosques subantárticos y población de mamíferos marinos y avifauna marina.

A 530-square meter, small, rocky and uninhabited island with subantarctic forests, sea mammal and sea bird populations.

9 RN Bosque petrificado Ormaechea y Szlapelis

Alrededor de 4.000 árboles y otras plantas y animales fosilizados. Antigüedad: cerca de 60 millones de años.

60 million years old. Around 4000 fossilised trees, plants and animals can be found here.

10 MN Bosques petrificados (10000 ha)

Conjunto de árboles mineralizados hace 100-140 millones de años.

A group of trees petrified some 100/140-millon-years ago.

11 MA Cueva de las Manos

En el cañadón del río Pinturas, colección de arte rupestre en cavernas habitadas hace más de 9.000 años.

The valley of the Pinturas River shelters a rupestrian art collection in caves that were inhabited more than 9,000-years ago.

ument; **RN (T)**: Reserva Natural Turística / Tourist Natural Reservation

Lo que aparece en la foto es una lenga, planta característica de la Patagonia austral. Pero su verdadero nombre casi no interesa, ya que lo llaman "árbol bandera", pues se orienta cual una veleta a favor de los vientos, fuertes y constantes, que corren casi siempre de los Andes hacia el Atlántico.

This is a lenga tree, a characteristic tree from Southern Patagonia. Its real name, however, is scarcely used: people prefer to call it "the flag tree" because, as if it were a flag, it bows due to the strong, unrelenting winds that almost always blow from the Andes to the Atlantic Ocean.

En las llanuras y sobre las mesetas patagónicas predominan matas y pastos. Pero apenas las condiciones son más favorables, cerca de la cordillera o en los cañadones, crecen los más diversos arbustos y también árboles de tallo considerable.
Entre estos últimos, los más frecuentes son el ñire, el majestuoso cohíue y la lenga (arriba, izquierda) con su madera veteada inconfundible. Otro representante de la flora austral es el llao-llao (arriba, derecha), un hongo parásito que crece en las provincias de Neuquén, Río Negro y Chubut y se usa para realizar artesanías.

On both, Patagonic plains and plateaus, bushes and grasses are mostly found. However, as the weather and soil conditions get better nearer to the Andean range, or in the valleys, for example, the more distinctive shrubs grow, as well as trees of considerable strength such as the ñire, the majestic cohíue and the lenga, (top left) the marbled wood of which is unmistakable. Another element of the austral flora is llao-llao (top right), a parasitical fungus that grows in the Provinces of Neuquén, Río Negro and Chubut and is used to produce handcrafted items.

Factores climáticos / Climatics factors

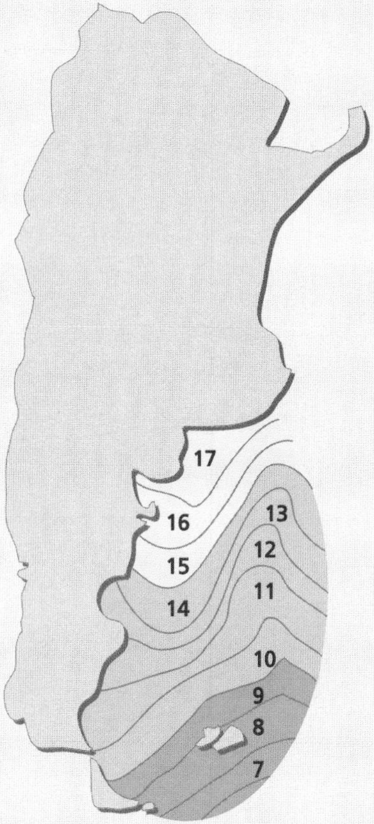

Temperatura del agua en el Mar Argentino
Water temperature in Argentinian Sea

Febrero / Febraury (°C)

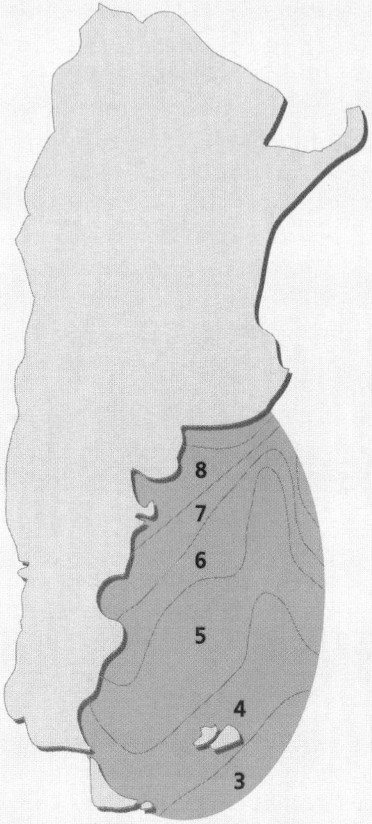

Temperatura del agua en el Mar Argentino
Water temperature in Argentinian Sea

Agosto / August (°C)

Temperaturas máxima y mínima absolutas
Absolute max. and min. temperatures

Verano / Summer (°C)
Invierno / Winter (°C)

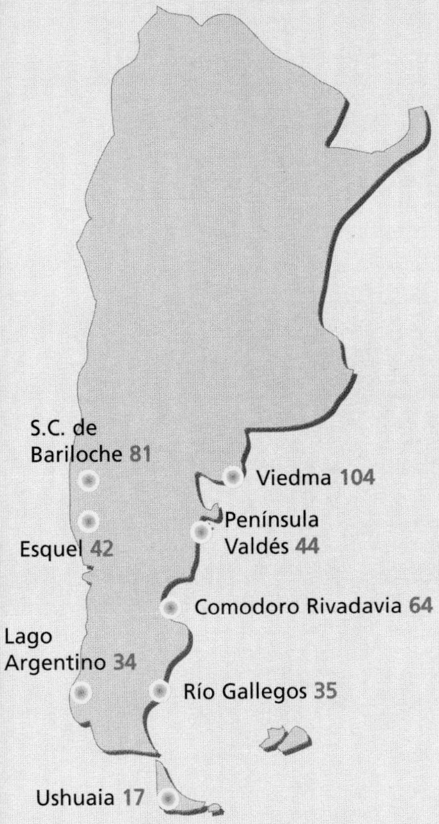

Días soleados al año
Sunny days a year

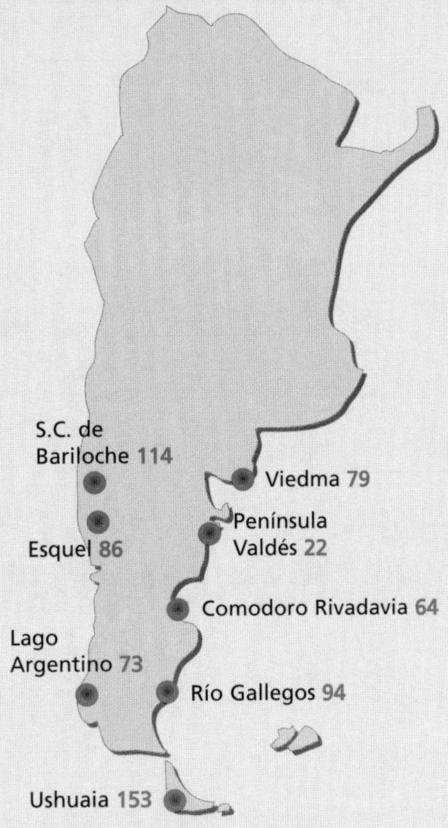

Días de lluvia o nieve al año
Rainy or snowing days a year

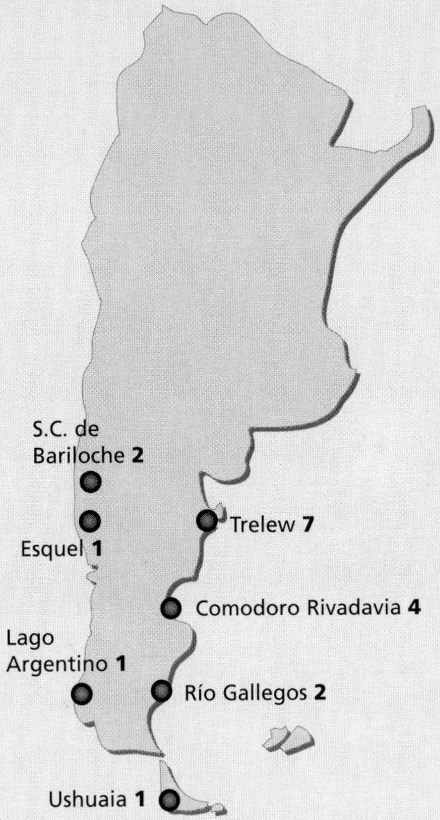

Tormentas eléctricas al año
Thunderstorms a year

Nada más característico en la inconmensurable Patagonia que una casa solitaria, y nubes presurosas que pasan navegando la cresta de los vientos.

Nothing is more typical of the immeasurable Patagonia than a solitary house and fleeting clouds passing overhead as if sailing over the crest of the wind.

Entre los acantilados de arenisca blanca y el mar es posible encontrar algunas playas arenosas. Son lugares ideales para colonias de aves o mamíferos, pues allí se forman bancos de moluscos.

Between the white limestone cliffs and the sea, some sandy beaches can be found: An ideal spot for birds or sea mammal sanctuaries and where mollusc reefs are formed under water.

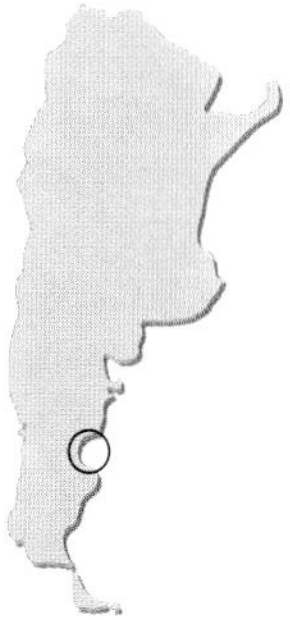

Lluvia o nieve (mm) / Rain or snow (mm)

Comodoro Rivadavia

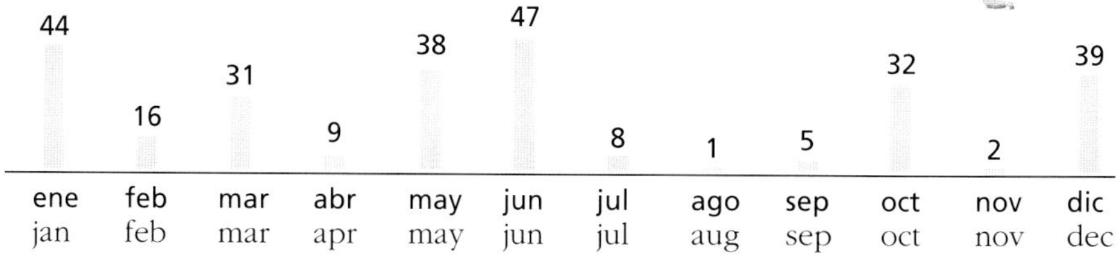

Grandes extensiones de la costa patagónica están formadas por farallones de considerable altura. Sin embargo, desde allí el suelo marino no cae en picada, como en la costa del Pacífico. Por el contrario, la plataforma continental se extiende por cientos de millas con profundidades relativamente escasas.

Considerably high cliffs form part of the long sections of the Patagonia coastline. When reaching sea level, however, marine soil does not fall abruptly into an abyss, as is the case, for example, along the Pacific coastline. Conversely, the continental platform stretches across hundred of miles at a shallow depth.

Las grandes reservas de bosques petrificados del sur tienen dos orígenes principales; están las que se remontan al período Jurásico (entre 100 y 140 millones de años atrás), como el Monumento Natural, situado al sudoeste de la estación Jaramillo (provincia de Santa Cruz); las plantas que lo conforman murireron cubiertas por cenizas volcánicas. En cambio, los ejemplares de las reservas Ormaechea y Szlapelis, cerca de Sarmiento (provincia de Chubut), se conservaron al hundirse en un pantano hace 60 millones de años; a este conjunto corresponden las fotos de estas páginas.

The great petrified woods reservations of the south have two origins: Some of them date back to the Jurassic period (between 100-, and 140-millon years ago), such as the Natural Monument existing to the southwest of the Jaramillo railroad station (Province of Santa Cruz): These trees died when they were smothered by volcanic ash. On the contrary, trees from the Ormaechea, and Szlapelis reservations, near Sarmiento (Province of Chubut) were preserved when they sank into a swamp 60-millon years ago. Adjacent photographs show these latter reservations.

La Patagonia hace gala de una extraordinaria riqueza fósil. Casi en cualquier parte se puede hallar variedad de petrificados. Además de algunos de los más antiguos y más grandes dinosaurios, árboles e incluso bosques petrificados cubiertos de cenizas volcánicas o por el barro del tiempo, también es posible encontrar ammonites –a veces gigantes– que, como ésta, yacieron imperturbables durante 100, 200 y hasta 300 millones de años.

Patagonia is extraordinarily rich in fossils. A wide variety of specimens are almost everywhere to be found. Apart from some of the oldest and largest dinosaur bones, mineralised trees and even whole petrified forests buried under ashes or beneath mud layers, samples of sometimes giant ammonites like this magnificent specimen can also be found. Ammonites have been lying here, undisturbed for as long as 100, 200 or even 300-millons years.

En 1938 el arqueólogo norteamericano Junius Bird descubrió restos del milodonte (o megaterio) junto con vestigios humanos en cavernas patagónicas, confirmando así la coexistencia temporal de ambos 9.000 años a. J.C. Una reproducción en tamaño natural de este gran mamífero puede encontrarse en la Cueva del Milodón, camino de Puerto Natales al PN Torres del Paine (Chile).

In 1938, Junius Bird, an American archaeologist, discovered mylodont bones together with human remains in Patagonian caverns, a find confirming the temporary coexistence of humankind and megatheriums about 9,000 B.C. A life-size reproduction of this huge mammal can be seen at the Cueva del Milodón on the road between Puerto Natales and Paine National Park, Chile.

En el museo paleontológico Carmen Funes, de Plaza Huincul (provincia de Neuquén), se encuentran huesos fosilizados de Argentinosaurus huinculensis, el más grande herbívoro que jamás vivió. Algunas de sus vértebras miden más de un metro de diámetro.

At the Carmen Funes, paleontological memorial museum of Plaza Huincul (Province of Neuquén), fossilized bones of Argentinosaurus huinculensis, the largest herbivore to ever have lived, can be observed. Some of its vertebra measure more than one metre in diameter.

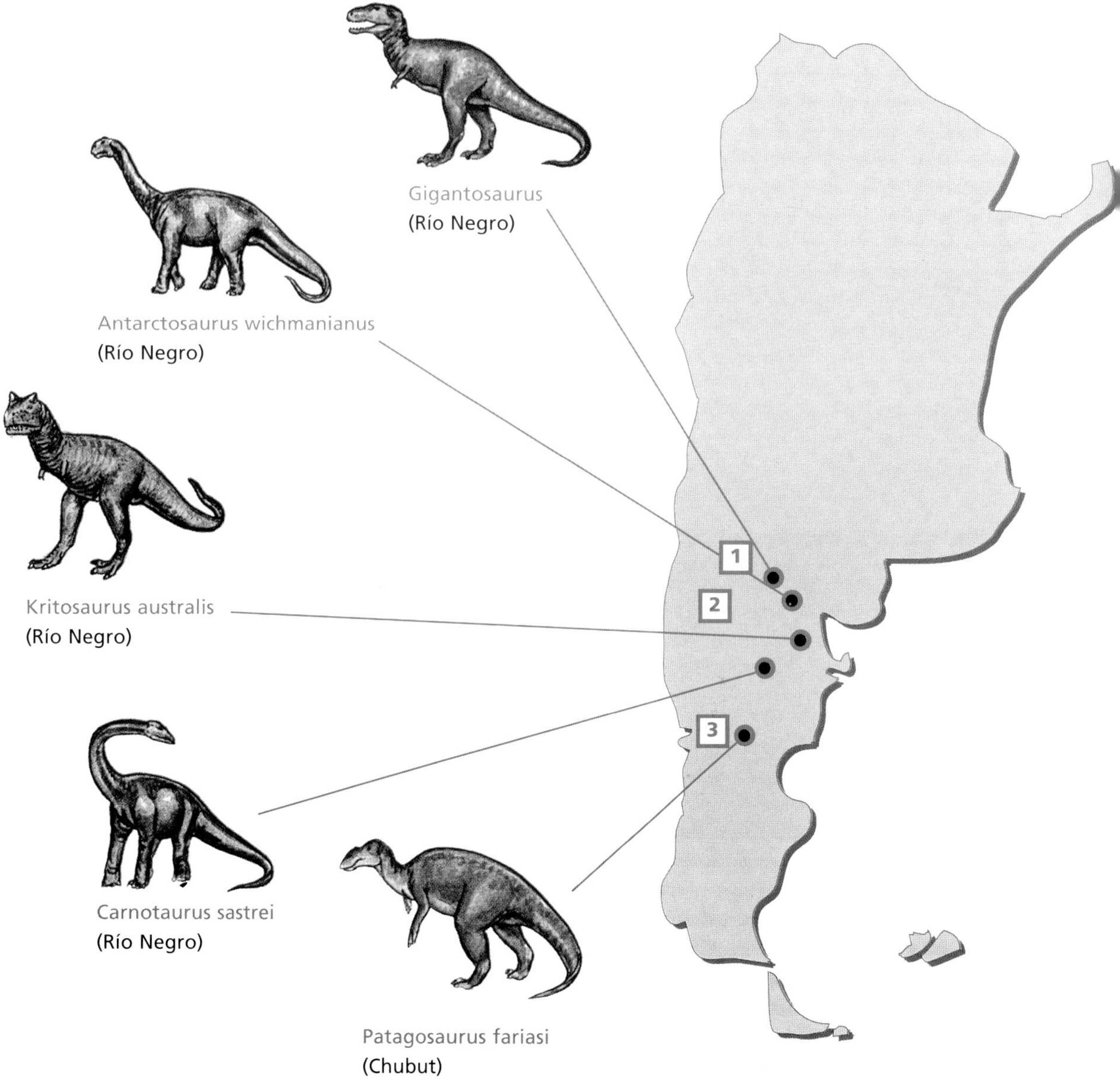

1 Argentinosaurus huinculensis
(Neuquén)

2 Amargasaurus casaui
(Neuquén)

3 Piatnitzkysaurus floresi
(Chubut)

El Argentinosaurus Huinculensis extraído de rocas sedimentarias cerca de Plaza Huincul (provincia de Neuquén) parece haber sido uno de los reptiles más grandes que jamás vivieron.

The Argentinosaurus Huinculensis excavated from sedimentary rocks near Plaza Huincul (Neuquén) seems to have been one of the greatest reptils ever.

Cañadón del río Pinturas

Pinturas River valley

El cañadón del río Pinturas es una típica formación patagónica donde el agua ha erosionado una meseta. En los barrancos de este profundo corte se encuentra la Cueva de las Manos, que en realidad es una serie de cavernas contiguas, cubiertas de pictografías; fueron halladas en 1941 por el explorador italiano Alberto De Agostini.

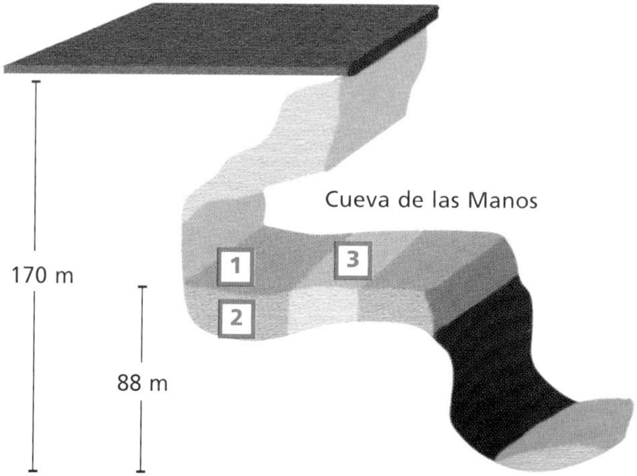

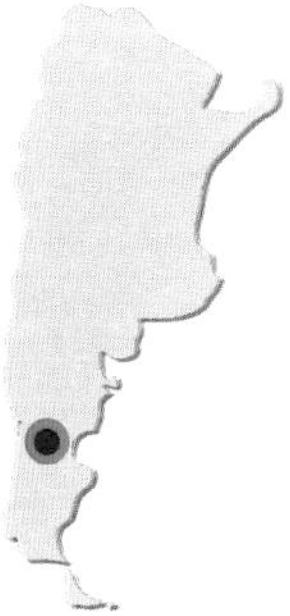

1 Piso actual / Present floor

2 Relleno natural / Natural fill

3 Testimonios más antiguos (en el fondo natural de la caverna): 7.350 a. J.C.
Oldest evidences of human occupation (deepest layer): 7,350 years BC.

The Pinturas River valley is a typical Patagonia formation created by water erosion forming a plateau. In these deep gorges the so-called Cueva de las Manos (Hands Cave) can be found which is not a single cave but a series of adjacent caverns, their walls covered with pictographs that were discovered in 1941 by Alberto De Agostini, an Italian explorer.

En el conjunto de las cuatro cuevas y cavernas del río Pinturas predominan las manos humanas. Los arqueólogos contabilizaron 829 manos perpetuadas; curiosamente el 96% son impresiones de la zurda y tan sólo unas pocas son diestras. Se ha establecido la antigüedad de la primera ocupación de las cavernas la cual se remonta a 9.300 años atrás, hacia el final de la última glaciación. Carbón vegetal, cal, ocres, hematita y sangre fueron usados para preparar los pigmentos.

Within the group of the four caves and caverns overlooking the Pinturas River, paintings of human hands predominate. Archaeologists have reckoned up to 829 hands, of which 96% are left hands, and the rest right ones. It has been calculated that the caves were first occupied some 9,300 years ago, at the end of the last ice age. Charcoal, lime, ochre, hematite and blood were used to prepare the pigments for the paintings.

La Cueva de las Manos fue sitio de reuniones propiciatorias de los cazadores-recolectores que poblaron las mesetas después de la última glaciación. Por ello, aparte de las improntas, entre los motivos aparecen también camélidos como el guanaco.

The Cueva de las Manos was a propitiatory place of worship and union for hunters/gatherers that lived on the Patagonia plateaus after the last ice age. This is why, apart from the painting of hands, animal pictures such as the camel-related guanaco can also be observed there.

Contacto con los animales

Animal contact

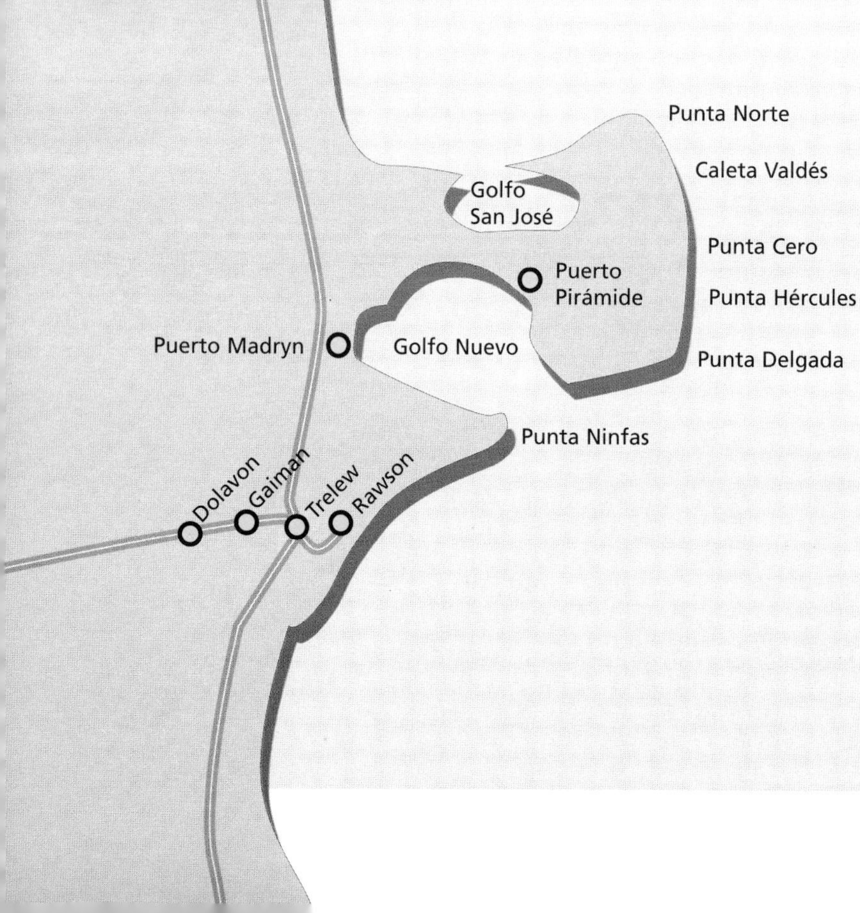

El pingüino de Magallanes es uno de los animales más graciosos de la costa patagónica. Estos palmípedos forman colonias compuestas por cientos de miles de parejas. En el mes de noviembre se produce la eclosión de los huevos incubados. La mayor población de estas aves acuáticas se encuentra en Punta Tombo.

The Magellan penguin is one of the most graceful animals to be found along the Patagonian coastline. Penguin couples gather in colonies by the thousand and their chicks hatch out in November. The largest population of these aquatic birds inhabits Punta Tombo.

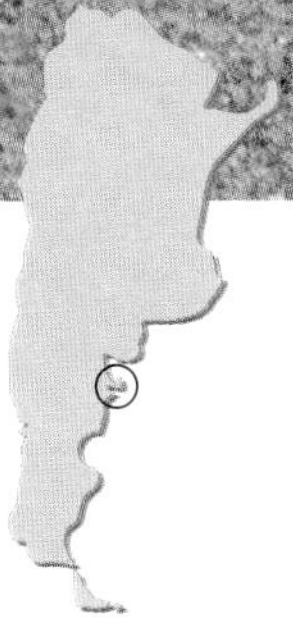

Lluvia o nieve (mm) / Rain or snow (mm)

Trelew

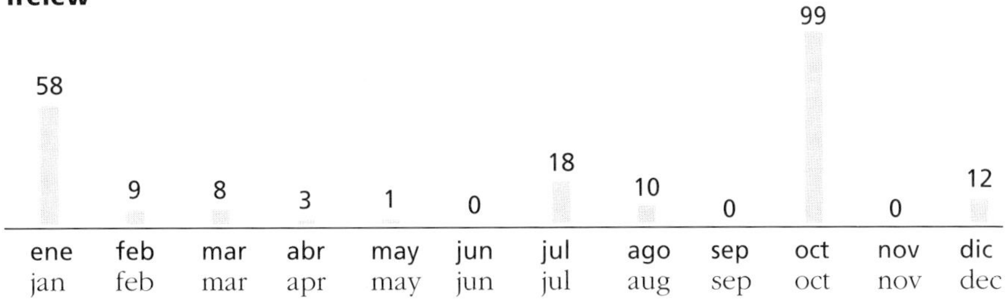

Ballena franca austral. Eubalena australis es un cetáceo misticeto que habita los océanos del hemisferio Sur, entre los paralelos 30° y 60°. Las gigantescas láminas de queratina que componen sus barbas filtran, del agua marina, el zooplacton —especialmente, el krill— con que se alimentan. Antes de que se diera inicio a su indiscriminada explotación comercial, la población habría sido de unos 100.000 individuos; hoy apenas llegan a ser 4.000, aunque la creación de zonas protegidas está permitiendo que su número crezca a un ritmo del 7% anual.
Península Valdés es el lugar del mundo donde cada año se produce la mayor concentración de ballenas francas, razón por la cual es, cada vez más, destino elegido por quienes desean verlas "en vivo y en directo". Si bien la recuperación de la especie arroja algunas cifras alentadoras, el constante aumento de navegaciones de avistaje preocupa a los naturalistas; por ello las embarcaciones autorizadas deben respetar una serie de normas que tratan de evitar que las ballenas sean perturbadas.

The Southern right whale (Eubalena australis) is a whale pertaining to suborder Mysticeti, living in the oceans of the Southern Hemisphere between latitudes 30º and 60º. The giant keratin plates of the baleen form a fringelike sieve to collect and retain zooplankton, especially krill, the whales' food of choice. Before the Southern right whale was subjected to indiscriminate trade exploitation, the Eubalena australis population may have been about one hundred thousand specimens. Today, the population is reckoned to be 4,000 or less. However, the development of protected areas allows whales to reproduce at a rate of 7% annually. Worldwide, the Valdés Peninsula is the place where the largest concentration of Southern right whales takes place. Today more and more people, eager to observe whales "in their natural habitat", gather at Golfo Nuevo. In spite of the recovery of this species yielding some encouraging figures, a sustained increase in the number of observers' boats is of concern to naturalists, even though authorised boats are required to comply with a series of regulations aimed at avoiding disturbance to the whales.

Elefante marino austral (Mirounga leonina). Este fócido tiene su único apostadero continental en península Valdés, donde forma "harenes" de entre 12 y 15 hembras. Las últimas temporadas se han acercado alrededor de 11.000 hembras y 1.500 machos, aunque su número se incrementa a un ritmo del 3% cada año.

The Southern Elephant seal (Mirounga leonina) is a phocidae and its only continental sanctuary is on the Valdés Peninsula. Each elephant seal bull leads a 12- to 15-cow harem. During recent seasons, about 11,000 cows and 1,500 bulls have landed on the Valdés Peninsula. The population is increasing at an encouraging rate of 3% annually.

En las costas arenosas y playas de la península Valdés se congregan los grandes mamíferos oceánicos, entre los que se destacan el elefante marino, el león marino o lobo de un pelo y el oso marino o lobo de dos pelos. Desde lo alto de la costa se puede contemplar el despreocupado pulular de los machos en medio de sus "harenes".

Along the sandy coasts and beaches of Valdés Peninsula, the great ocean mammals gather: Elephant seals, sea lions (also known in Argentina as one-haired sea lions) and seals (also known in Argentina as two-haired sea lions). From the cliffs, the lazy, leisurely wandering of the bulls among their "harems" can be observed at will.

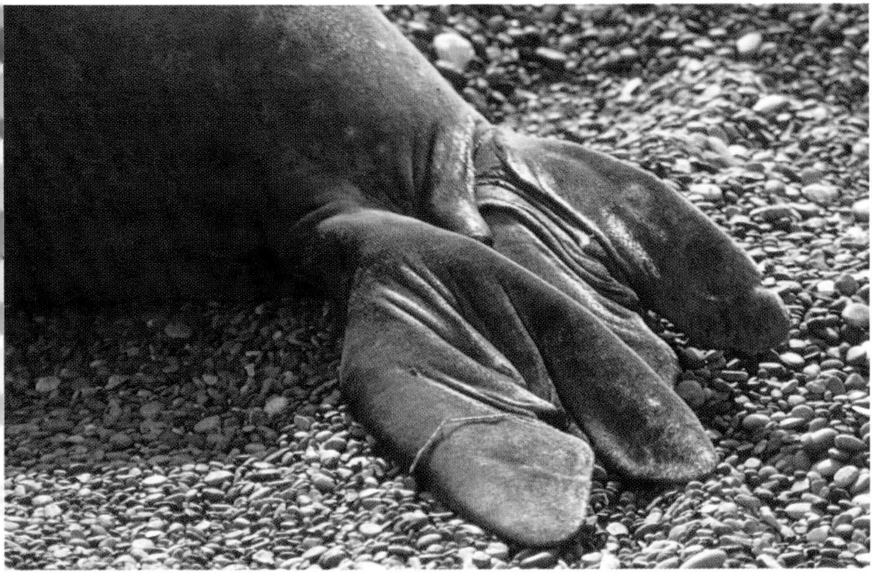

Con su denso pelaje, su activa circulación sanguínea, sus enormes reservas de grasa y sus extremidades con grandes aletas, como muestra la fotografía, los mamíferos marinos están inmejorablemente bien preparados para soportar las bajas temperaturas del Atlántico Sur.

With their thick fur, vigorous blood circulation, enormous fat reserves, and large fins (as shown in adjacent photograph), sea mammals are best prepared to endure the South Atlantics' low temperatures.

La lactancia de los elefantes marinos recién nacidos dura entre 20 y 24 días. Después de criarse y mudar la piel en verano, los adultos se hacen a la mar con los juveniles en los meses de marzo y abril.

The suckling period of the baby elephant seals lasts approximately 20 to 24 days. Once the young have been nursed and have moulted during the austral summer, both young and adults leave the peninsula during March and April.

El avistaje de la ballena franca se inicia en Puerto Pirámide, sobre el golfo Nuevo. Es posible casi acariciar a los cetáceos con la mano y además, mediante un micrófono y auriculares, se puede incluso escuchar desde la embarcación las "conversaciones" entre los animales que se reúnen en la bahía, a veces hasta un centenar de ejemplares.

Tourist observation trips of the whales start in Puerto Pirámide, on the Nuevo gulf. You can almost caress the huge cetaceans with your hands and by means of a microphone and headphones listen to the "conversations" among the whales. Almost a hundred whales gather in the bay area.

A mediados de julio los machos adultos del elefante marino del sur comienzan a establecer territorios en la costa de la península Valdés. En agosto llegan las hembras, y en septiembre ocurre el mayor número de nacimientos. Al principio, los bebés tienen pelaje negro.

Early July, adult elephant seal bulls start establishing their territories along the coast of Valdés Peninsula. Elephant seal cows arrive in August and births occur mainly in September. At birth, baby elephant seals have black fur.

n algunas bahías patagónicas, como por aso en la ría de Río Gallegos, se produ- en variaciones de hasta 15 metros entre leamar y bajamar. Las embarcaciones acen entonces, como perdidas, sobre el ondo firme del estuario.

n some Patagonian bays —as is the ase in the Río Gallegos fjord—, water evels of almost fifteen metres can be bserved between high and low tide. t low tide, boats lie scattered around rounded on the bed of the estuary.

uvia o nieve (mm) / Rain or snow (mm)

ío Gallegos

ene / jan	feb / feb	mar / mar	abr / apr	may / may	jun / jun	jul / jul	ago / aug	sep / sep	oct / oct	nov / nov	dic / dec
7	15	29	49	42	37	25	5	34	21	33	28

Cerca de Punta Loyola, próximo a Río Gallegos, se encuentra, desde 1910 cuando naufragó aquí, el casco metálico del velero *Kantly*. El lugar constituye un destino predilecto para excursiones. De lejos, el aspecto de la embarcación puede resultar fantasmagórico.

Near Punta Loyola, in the vicinity of Río Gallegos, lies the metal hull of the sailing ship Kantly that sank in 1910 it is a favourite spot now, for excursions, even though, from a distance, the hull gives a ghostly feeling to the place.

En el valle del río Chubut es todavía tangible la herencia de los colonos galeses. En pueblitos típicos como Gaiman o Dolavon se encuentran aún antiguos molinos de agua cerealeros, tradicionales casas de té, vetustos carruajes o, como en Puerto Madryn, alguna locomotora de vapor que servía al Ferrocarril Central de Chubut (trocha de un metro).

In the Chubut River valley, the Welsh colonists' heritage remains evident.
In typical villages such as Gaiman or Dolavon you can find old water mills, traditional tearooms, ancient carriages, or, as in Puerto Madryn, a steam engine that used to run along the Chubut central railroad with its wide gauge track (1 metre).

Tŷ Nain
CASA DE VIEJAS CHIMENEAS
"Tŷ Nain"
Y TÉ CON SABOR A TRADICION
Casa de Té Museo
ESTA CASA TIPICA GALESA FUE CONSTRUIDA EN EL AÑO 1890

La tranquera es en cualquier lugar un símbolo —y sinónimo— de estancia. Pero en pocas partes estas propiedades alcanzan superficies tan enormes como en la Patagonia. Decenas de miles de ovejas pastan y se crían allí; la producción de lana es la base de la riqueza del Sur.

'Tranquera' a local word for a kind of strong fence for a field is, in Argentina, a symbol of ranches (estancias). However, in few places are these ranches as big as in Patagonia. Patagonia is the region where ranches are not just big but, enormous and sheep graze there by the thousand. Wool production is the main source of wealth in the South.

Quizá sea por la tristeza del paisaje que el hombre trata de dar color y vida al escenario patagónico, y pinta las paredes y los techos de las viviendas con tonalidades que contrastan con las de sus alrededores.

The sadness of the countryside is surely what motivates people try to give some life and zest to the Patagonian surroundings by painting the walls and roofs of their houses in bright colours.

Muchas de las lagunillas que salpican la Patagonia y la Tierra del Fuego argentina albergan una variada avifauna; con su rosado peculiar, el flamenco es un ejemplo destacado. Atardeceres espectaculares dan marco singular al paisaje.

A lot of small lagoons dotted along the coastline of both Patagonia and Tierra del Fuego Island are sanctuaries for a great many birds. With their bright pink feathers, flamingos are the most distinctive. Spectacular dusk light gives the seascape an amazing backdrop.

Los últimos pobladores autóctonos

The last native dwellers

Los mapuches viven en sus reservas como lo vienen haciendo desde hace siglos, gracias a una economía autónoma de subsistencia. (Fotos: Edgardo Abel de la Nava.)

Mapuches live a self-sufficient lifestyle on their reservation as they have done for centuries. (Photographs by Edgardo Abel de la Nava.)

A la llegada de los primeros descubridores, el extremo sur del continente estaba poblado por diversas tribus, a cuyos miembros, aquellos tempranos navegantes, bautizaron con el nombre de "patagones".
La Tierra del Fuego, la región de los fiordos chilenos y la cuña austral de la Patagonia eran habitadas por naturales que los etnógrafos dividen en cuatro grandes parcialidades: los *selk'nam* u onas; los *manekenk* o haush; los *yámana* o yaganes; y los *halakwulup* o alakaluf.
Todos estos aborígenes desaparecieron como consecuencia del proceso de conquista y colonización.
Los indígenas de la Patagonia que aún sobreviven en estado más o menos puro pertenecen a las etnias de los tehuelches, los tehuelches araucanizados y los araucanos, aunque por lo común se los llama a todos mapuches.
Hay varias comunidades en Neuquén —Ruca Choroi, Auta Pan y Atrauco, entre otras— como también algunas en Río Negro y en Santa Cruz. Según el último censo vivían en el sur unos 300 individuos en siete asentamientos, dispersos y poco numerosos.
Las fotos en estas páginas corresponden a los habitantes de Ruca Choroi, que subsisten según la usanza de sus antepasados, habitando viviendas rústicas y ganándose el sustento diario con algo de agricultura y otro poco de ganadería.
Como sus ancestros, aprovechan incluso las semillas del fruto de la araucaria como alimento básico tradicional, y dedican parte de su tiempo a la elaboración de tejidos en el clásico telar vertical.

When the first discoverers arrived, several tribes inhabited the extreme south of the continent, navigators called them Patagones. Tierra del Fuego Island, the region of the Chilean fjords and the most southerly parts of Patagonia were inhabited by natives that ethnographers have divide into four large groups: Selk'Nam, or Ona people; Manekenk, or Haush people, Yamana, or Yagane people, and Halakwulup, or Alakaluf people.
All these aborigines disappeared as a consequence of both the conquest and colonisation processes.
Surviving Patagonian Indians of nearly pure race belong to the following tribes: Tehuelche, Araucanized Tehuelche, and Araucan. However, people generally call them all Mapuche.
There are several communities in the Province of Neuquén: Ruca Choroi, Auta Pan, and Atrauco, among others in the Provinces of Río Negro, and Santa Cruz as well. According to the last census, 300 aborigine individuals were living in seven scattered and low-populated settlements.
The photos on these pages are of inhabitants from Ruca Choroi whose lifestyle is the same as their ancestors', sheltering in rustic dwellings and living off agriculture and a little cattle breeding.
These people eat the seeds of the araucaria pine tree as a basic, traditional food, as did their forefathers, and as a traditional activity they weave wool fabrics on old vertical looms.

Los mapuches de Ruca Choroi y de otras reservas aborígenes del sur se conservan asombrosamente puros. Producen tejidos realizados en su típico telar vertical.

Mapuche from Ruca Choroi and other southern aborigine reservations keep their race astoundingly pure. Mapuche specialise in weaving with the time-honoured vertical loom.

Las semillas de la araucaria (o pehuén), fruto muy parecido al ananá, antaño formaban parte de la alimentación de los mapuches. Una niña mapuche muestra sus rasgos étnicos casi puros merced a la virtual ausencia de cruzamientos entre estos indígenas y la población blanca hasta nuestros días. (Fotos: Edgardo Abel de la Nava.)

Pehuén (araucaria) seeds, 'a fruit very similar to pineapple', was one of the main foodstuffs for Mapuche Indians in the past. A young Mapuche girl shows her almost pure aboriginal features. Her ethnic features have been preserved, as there has been no crossbreeding with the white population. (Photographs by Edgardo Abel de la Nava.)

Aves de los bosques australes

Birds from Austral forests

1. Rayadito *(Aphrastura spinicauda).*
2. Cotorra austral *(Microsittace ferruginea).*
3. Carpintero gigante *(Campophilus megallanicus).*
4. Cauquén cabeza gris *(Chloephaga poliocephala).*

Aves de la estepa patagónica

Birds on the Patagonia steppe

1. Águila mora *(Geranoaetus melanoleucus).*
2. Ñandú petiso o choique *(Pterocnemia pennata)*, con charitos.
3. Cauquén o avitarda común *(Chloephaga picta)*, macho y 4. hembra.

Mamíferos patagónicos

Patagonia mammals

1. Huemul *(Hippocamelus bisulcus)*.
2. Guanaco *(Lama guanicoe)*.
3. Zorro colorado *(Dusicyon culpaeus)*.

Fauna del litoral atlántico

Fauna from the Atlantic coast line

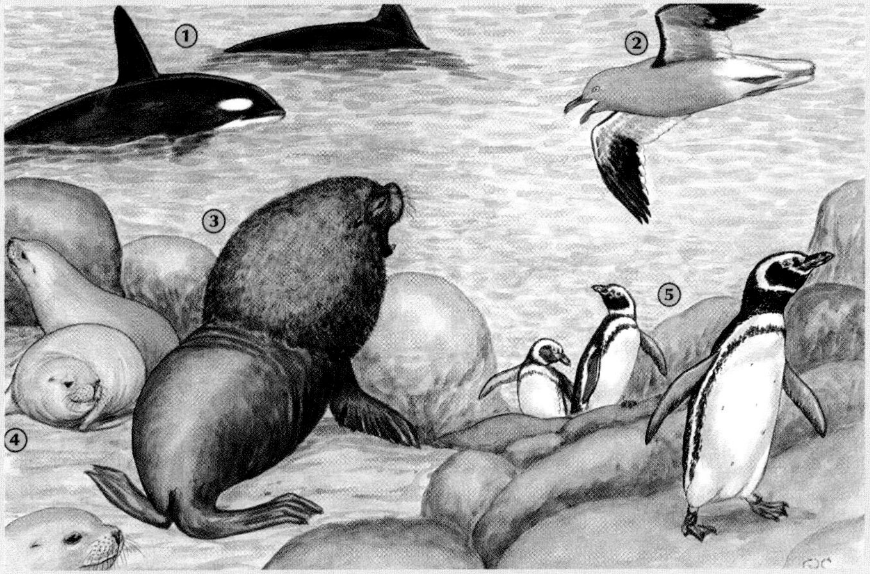

1. Orca *(Orcinus orca)*.
2. Gaviota gris *(Leucophaeus scoresbii)*.
3. León marino o lobo de un pelo *(Otaria byronia)*, macho y 4. hembra.
5. Pingüino patagónico *(Spheniscus magellanicus)*.

Ese viejo expreso patagónico

That old Patagonian Express

Los vetustos trenes de La Trochita circulan gracias al intenso mantenimiento que realiza el personal, que quiere la línea como si fuera suya.

The historic trains on the Trochita rail are still rolling thanks to the intense maintenance job done by the railway personel.

Un recorrido de 402 km, más de 600 curvas, puentes, viaductos, túneles, subidas y bajadas. Una fuerte nevada o una simple majada de ovejas interrumpen el tránsito; un golpe de viento puede tumbar un vagón. ¿Qué más puede decirse del histórico —y heroico— ferrocarril que se desplaza entre Ingeniero Jacobacci (Río Negro) y Esquel (Chubut), que por su vía económica, de tan sólo 75 centímetros, lleva el curioso sobrenombre de "Trochita"?

Hoy una verdadera reliquia y un poderoso imán turístico, su construcción fue iniciada en 1922 para comunicar los valles precordilleranos con el resto del país. De ese tiempo datan también las locomotoras y los vagones, de carga y para pasajeros. Sólo en 1945 se inauguró esta línea en forma casi total hasta El Maitén, y algo después hasta la terminal en Esquel. El "Trochita" y su funcionamiento y mantenimiento son todo un espectáculo. A menudo el viento corre más rápido que el mismo tren (cuya velocidad máxima es de 50 km/h) y, en consecuencia, la pluma de humo se adelanta a la locomotora. Humo y vapor por cierto abundan: las máquinas Henschel o Baldwin en servicio queman, durante las 14 horas que dura el viaje de punta a punta, la friolera de diez toneladas de petróleo; además, gastan unos 100 litros de agua ¡por kilómetro!; de modo que cada hora, más o menos, deben parar a fin de reponer líquido. Para mitigar el intenso frío invernal los coches de pasajeros llevan una estufa. En 1993 el servicio integral fue interrumpido en forma transitoria, pero poco después logró reanudadarse por cuenta de los gobiernos provinciales de Río Negro y Chubut.

A 402-km railroad with more than 600 curves, bridges, viaducts, tunnels, ups and downs. A heavy snowstorm or a single flock of sheep can stop the train. A gust of wind is enough to derail a carriage. What else can be said of the historical and heroic railroad running between the towns of Ingeniero Jacobacci (Province of Río Negro) and Esquel (Province of Chubut)? A railroad local people have aptly nicknamed "Trochita", that is "Little Gauge" since, actually the Patagonian Express gauge is only 75-centimetres wide.

Today, Expreso Patagónico is not only a real relic, but also a powerful tourist attraction. Since its construction, started in 1922, Expreso was meant to connect the pre-Andean valleys with the rest of the country. The engines, freight cars and carriages are the originals. Only in 1945 did the railroad reach El Maitén. The town of Esquel was connected later on. The "Trochita" train, its running and maintenance are a real spectacle. Sometimes, the wind travels faster than the engine (approx 50km), so the smoke of the engine gets blown ahead of the train. There is certainly plenty of smoke and steam too, since, while chuffing through its 14-hour trip, the engine (either a Henschel or a Baldwin) burns a trifling ten tons of diesel to cover the 402-kilometer distance. Moreover, the engine uses 100 litres of water per kilometre travelled, which means that the train has to stop approximately every hour to top up with water. In 1993 Expreso Patagónico was temporarily closed down, but shortly afterwards the provincial councils of Río Negro and the Province of Chubut agreed on its revival.

Coincidentemente Chubut habilitó el tramo de 19 km entre Esquel y Nahuel Pan como servicio turístico, a fin de que los forasteros tengan una impresión de lo que fue —y por suerte aún es— ese viejo Expreso Patagónico. Entre El Maitén y Leleque se realiza otro servicio turístico que, al igual que el anterior, se presta varias veces por semana pero en diferentes días y horarios según sea la temporada de verano o de invierno.

At the same time, the Province of Chubut opened up a 19-kilometre section between Esquel and Nahuel Pan as a tourist attraction, so that foreigners could get an idea of what was, and fortunately still is, that old Expreso Patagónico. Between El Maitén and Leleque there is another tourist-bound section of the railroad. Both tourist attractions run several times a week, but their timetables depend on the season.

Todo en La Trochita es viejo pero genuino, como ésta cabina de señales con telégrafo en El Maitén.

Everything on La Trochita is old and genuine, like this signal cabin with telegraph in El Maitén.

Los trenes del "Trochita" son arrastrados a veces por una, otras por dos locomotoras de vapor, que desde lejos van prenunciando su arribo a la estación con su pluma de negro humo.

The "Trochita" trains are pulled by one or sometimes two steam engines. From far away their black plume of smoke announces their arrival at the station.

Las tropelías patagónicas de Butch Cassidy y sus compinches

The Patagonian outrages by Butch Cassidy and chums

La más célebre fotografía de la "Banda Salvaje", casi en pleno tomada en Fort Worth, Estados Unidos, en 1900. Llevando riguroso bombín y vistiendo las mejores ropas muestra, de izquierda a derecha y de pie a "Sundance Kid" y Will Carver; sentados: Ben "Tall Texan" Dilpatrick, "Kid Curry" Logan y "Butch Cassidy".

The most famous photo of the "Wild Gang", taken at Fort Worth in the USA, in 1900. Almost all of the gang are there, donning their best suits and smartest bowler hats. From left to right: Standing are the "Sundance Kid" and Will Carver. Seated are Ben "Tall Texan" Dilpatrick, "Kid Curry" Logan and "Butch Cassidy".

A las tres de la tarde del martes 14 de febrero de 1905, dos sujetos entraron en el Banco de Londres y Tarapacá de Río Gallegos, capital y puerto principal de la provincia de Santa Cruz. Blandiendo revólveres obligaron al gerente de la sucursal, míster Bishop, a entregar la existencia de la caja de caudales, unos 23.000 pesos, más 280 libras esterlinas. Los bandidos escaparon al galope. La policía montada y un destacamento de caballería salieron en su persecución. En vano: la pareja de forajidos desapareció sin dejar huellas. Aparentemente contaban con monturas frescas aguardándolos en su ruta de escape.

En la víspera de su partida de Río Gallegos, donde se alojaron en el mejor hotel durante los dos meses previos al asalto, brindaron con asombroso desparpajo una gran cena para los ciudadanos más ilustres, incluyendo al jefe de policía y al gerente del banco; los festejos duraron hasta el amanecer.

El 24 de diciembre del mismo año, cuatro individuos —entre ellos una mujer— desvalijaron el Banco de la Nación Argentina, en Villa Mercedes, San Luis. Por diversos pormenores resultó claro que debió tratarse de la misma banda de forajidos norteamericanos que, después de cometer un sinnúmero de tropelías en Estados Unidos, se fugaron a la Argentina donde, en la tranquila comarca chubutense de Cholila, llevaron desde 1902 una vida apacible de estancieros. Ellos eran: "Butch Cassidy", el "Sundance Kid", *"Etta"* Place y "Kid Curry".

De Argentina al menos dos de ellos pasaron a Bolivia, país de gran riqueza, por entonces, gracias a la cornucopia de sus minas de plata. "Butch Cassidy" y el "Sundance Kid" hallaron su fin en una refriega sangrienta con soldados y policías al sur de Potosí, el 6 de noviembre de 1908. Aun así nadie creyó que ello pudiera ser cierto. Tantas leyendas fueron tejiéndose en torno a "Butch Cassidy" que en vida, e incluso después, fue dado por muerto al menos 20 veces en tres continentes.

El que varios de los facinerosos pasaran parte de sus años activos —como ladrones asesinos y como estancieros— en diversas partes de la Patagonia hace que todavía muchos de los visitantes de este dilatado territorio, convertidos en ávidos detectives amateur, traten de seguir sus pistas y desentrañar los últimos misterios que envuelven, hasta ahora, estos dramáticos hechos y a sus pintorescos personajes.

Nota: En Cholila se puede ver la cabaña construida en los albores del siglo XX por James P. "Santiago" Ryan (Butch), H. A. "Enrique" Place (Sundance) y "Etta" Place. No disimula su antigüedad pero, con el permiso de su actual morador, Aladín Sepúlveda, puede ser visitada.

The day was Tuesday, February 14, 1905. The time: 3:00 PM. Two men entered the Londres and Tarapacá bank in the town of Río Gallegos, capital city and main port of the Province of Santa Cruz. Under the threat of two guns, Mr. Bishop, the branch manager, was forced to surrender 23,000 pesos and 280 pounds sterling that was kept in the safe.

The gunmen escaped on galloping horses. Both the mounted police and cavalry detachment rushed out after them, but to no avail. Both gunmen had, it seemed, disappeared into thin air, apparently because fresh mounts had been waiting for them along their escape route.

Both men had been living at the best hotel in Río Gallegos for two months before the bank robbery. On the very eve of their sudden departure, and with incredible nerve, they had offered a lavish dinner party to the most prominent citizens of the town, including the Police Chief and Mr. Bishop. Actually, the dinner party went on until dawn.

On December 24th, that same year, three men and a woman robbed the Villa Mercedes branch of the Banco de la Nación Argentina, in the Province of San Luis. Some clues seemed to suggest that these were American gangsters, who after committing numerous robberies in the United States had escaped to Argentina.

Since 1902, they had been peacefully living as ranch owners in Cholila, a rather quiet place in the Chubut area. As it turned out, the men were "Butch Cassidy", the "Sundance Kid" and Kid Curry, the woman was "Etta" Place.

"Butch Cassidy" and the "Sundance Kid" apparently moved on to Bolivia, a very rich country at the time due to the bonanza of its silver and tin mines. On November 6th, 1908 both men died during a blazing gunfight with Bolivian soldiers and policemen to the south of the city of Potosí.

In spite of all the evidence, nobody could accept that this was so: Such were the number of legends about "Butch Cassidy" that not only during his life, but also after his death, almost 20 different versions about his having been killed were circulating... across three different continents. The fact that several members of his gang spent part of their active life in several Patagonian areas is still a lure for many a tourist visiting this huge territory: Like would-be private investigators, tourists try to follow clues left by Cassidy and solve the mystery that still shrouds both the dramatic events that took place and those picturesque characters. The ranch cabin that James P. "Santiago" Ryan (I. E. Butch), and H. A. "Enrique" Place (I. E. Sundance) built for themselves and "Etta" Place at Cholila in the first years of the 20th Century still exists, even if its not exactly in good repair. The cabin can be visited: You just have to ask its present dweller, Mr. Aladín Sepúlveda, for permission.

Historia conservada: la cabaña de troncos construida alrededor de 1902 por los bandidos cerca de Cholila (provincia de Chubut).

History preserved: the log cabin built circa 1902 by the bandits near Cholila (Chubut).

Monte Fitz Roy / Mount Fitz Roy

El Fitz Roy (3.405 m) fue llamado Chaltén por los indígenas, nombre con el que se lo señala nuevamente en nuestros días (pág. sig.). Este macizo de agujas es la divisoria climática más pronunciada del planeta: al oeste se producen precipitaciones de nieve de hasta 8.000 mm anuales, lo que da origen al denominado Hielo Continental; en el piedemonte oriental, en cambio, no llueve casi nada. Existen lagunas glaciales semiocultas y se destacan agujas como las del cerro Torre (3.128 m), las que pueden verse en esta página.

3405 metres high, Mount Fitz Roy was called Chaltén by the aborigines, a name that is being used again nowadays, (next page). Chaltén massif is the most dramatic climatic divide on earth: To the west, snowfalls reach a total of 8,000 mm and up per annum, the origin of the so-called Continental Ice. In contrast, to the east there is practically no rainfall. There are some half hidden glacier lagoons and some peaks, like the 3,128-meter high Cerro Torre (on this page) are simply impressive.

El nombre Torres del Paine es de origen araucano y en ese idioma significa "azul", corresponde a la tonalidad que con frecuencia asume la granodiorita del macizo.

The name Paine of the Torres del Paine massif is of Araucanian origin and means "blue" in this language. This is the color the rocks assume frequently under certain light conditions.

Los Dientes del Paine son otra cadena en el PN Torres del Paine. Desde el punto de vista geológico esta formación rocosa es la continuación del macizo Fitz Roy-Torre, en Argentina. Según la descripción morfológica, en las Torres del Paine se hallan estratos del cretáceo (marrón), arriba y capas de granodiorita (blanco), abajo; en el Fitz Roy se presenta exactamente a la inversa. Producción: Marlú Kirbus.)

Dientes del Paine is another range within the Torres del Paine National Park. From a geological point of view, the range continues the Argentine Fitz Roy/Torre massif. Morphologically speaking, at Torres del Paine, cretaceous strata (brown) are found towards the top, while granodiorite layers (white) are found towards the bottom. The location of strata and layers are the other way around in Fitz Roy massif. (Production: Marlú Kirbus.)

Hoy en día, el Parque Nacional chileno Torres del Paine forma parte indisoluble de toda visita a la Patagonia. Fue creado en 1959 y declarado Reserva de la Biosfera por la UNESCO, en 1978. Tiene un acceso en Puerto Natales y desde Argentina, se ingresa a través del paso de Cancha Carrera o por Río Turbio. Caminos y senderos permiten recorrer la reserva en automóvil o a pie. Lagos y ríos alternan con praderas o saltos de agua. La mayor elevación es el cerro Paine Grande de 2.400 metros.

The Chilean Torres del Paine National Park is now a must for any tourist trip to Patagonia. The park was developed in 1959. In 1978, UNESCO declared the park a Biosphere Reserve. From Chile, The park can be reached through Puerto Natales, from Argentina, through Cancha Carrera pass or the town of Río Turbio. Lanes and paths allow tourists to travel up and down the park by car or on foot. Lakes and rivers alternate with prairies and waterfalls. The highest point is the 2,400-meter high Paine Grande Mount.

El deshielo del casquete continental da origen en su vertiente atlántica a arroyos, ríos y lagos. Domina el escenario la silueta aserrada del macizo Fitz Roy-Torre. En verano son muy concurridos en la región El Chaltén, la población de más reciente fundación en la Argentina (1985), y el encantador Lago del Desierto. (Foto: Germán Sopeña.)

The melting of the continental icecap creates rivulets, rivers, and lakes on the western slope. The landscape is dominated by the saw-like Fitz Roy/Torre massif. In summer, tourists flock to El Chaltén, the most recently founded village in Argentina, (1985) and the charming Lago del Desierto. (Photograph by Germán Sopeña.)

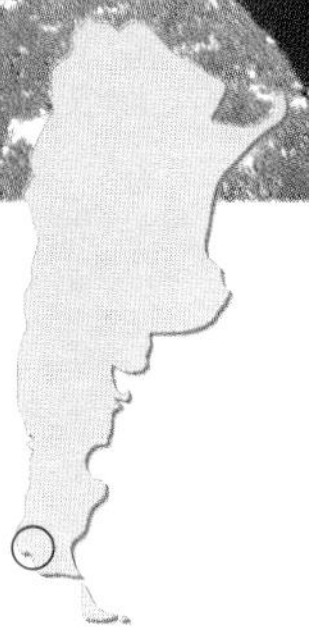

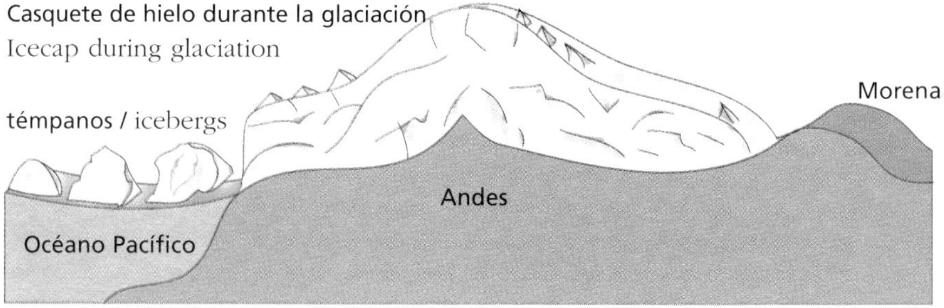

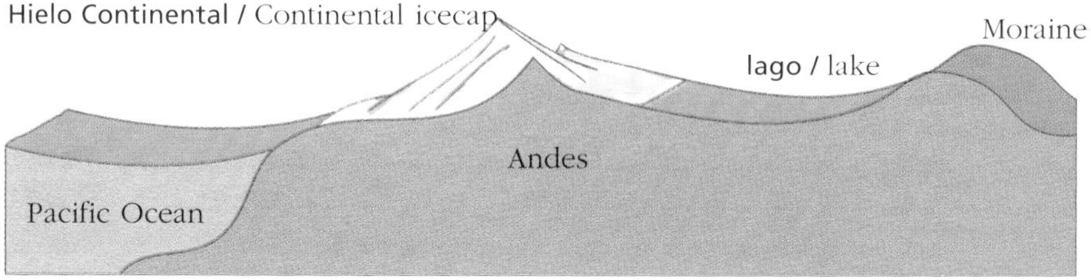

Virtualmente todos los lagos andinopatagónicos fueron excavados por las lenguas que descendieron a la llanura desde los grandes casquetes de hielo hace 10.000 años. Los glaciares cavaron hoyas tan perfectas como una bañera (arriba) y cepillaron las rocas formando profundas estrías.

Virtually, all of the Andean-Patagonian lakes have been formed by ice descending to the plain from the huge icecaps, up to 10,000 years ago. Glaciers eroded basins as perfect and smooth as bathtubs (top photo), and swept up rocks forming deep grooves.

Lluvia o nieve (mm) / Rain or snow (mm)

Lago Argentino

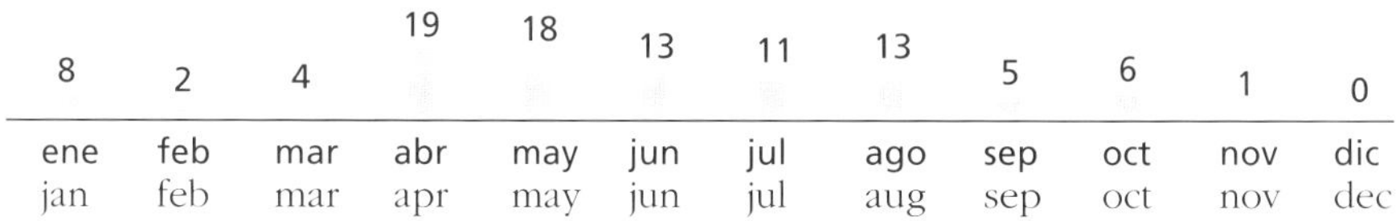

Imagen tomada por el satélite Landsat desde 900 km de altura. Se observa el lago Argentino, y los diversos ventisqueros que descienden del Hielo Continental para desembocar en las aguas de las cuencas excavadas, durante glaciaciones pasadas, por glaciares de mucho mayor desplazamiento que los actuales.

A photo taken by the Landsat satellite, at a height of 900-kilometres. Lake Argentino can be observed as well as the different glaciers flowing down from the so-called Continental Ice Cap to the basins that much larger, stronger and faster glaciers have eroded during past ice ages.

Un témpano "en miniatura" desprendido del frente del ventisquero Perito Moreno. Los icebergs, se hunden más que en mar abierto, porque el agua del lago Argentino es dulce, y por lo tanto, ofrece menos sustentación (por su menor densidad) que el líquido salado marino.

A "miniature" iceberg from the Perito Moreno glacier in the Canal de los Témpanos. These blocks of ice are dipping more profoundly in the waters of lago Argentino than in the open sea since it is not as salty —and hence not as dense— as the latter one.

Un cierre a cremallera gigante. En el ventisquero Perito Moreno pueden verse las estrías excavadas por el movimiento de la lengua del glaciar. Se estima que el glaciar avanza entre 20 y 30 centímetros por día.

A giant zip fastener: At Perito Moreno glacier you can observe stria, grooved by the movement of the glacier. The glacier is estimated to move forward between 20 and 30 centimetres a day.

El Perito Moreno da nacimiento, en forma permanente, a respetables témpanos que luego flotan en el lago Argentino, donde el hielo finalmente se derrite. Por esto mismo es considerado el depósito más grande del mundo de "agua destilada" (libre de minerales).

The Perito Moreno glacier continually produces impressive icebergs that float on Lake Argentino where, eventually, the ice melts down: This is why Lake Argentino is considered the largest body of mineral free-water in the world.

A toda hora del día, en cada estación del año, el ventisquero Perito Moreno y sus alrededores se visten de diferentes colores. Este glaciar junto con los demás que del lado argentino y chileno descienden del Hielo Continental, han cavado en el pasado profundas cuencas. Hoy son los embalses naturales de los grandes lagos patagónicos. El Perito Moreno fue descrito primero hacia 1895 y la última vez que cerró el paso entre el Brazo Rico y el lago Argentino fue en 1984, cuando el contenido de aquél, aumentado en 35 metros, rompió el dique de hielo y se volcó al lago principal.
(Fotos: Alexis Simunovic.)

At every hour, in every season of the year, the glacier and its surroundings present different colours. This tongue of pure, blue ice together with the other glaciers on the Argentine and Chilean side, descend from a giant ice cap called Hielo Continental and in the past carved deep natural troughs which nowadays contain the Patagonian lakes. The "ventisquero" Perito Moreno was first described around 1895, and the last time it blocked the flow between Brazo Rico and Lago Argentino was in 1984 when the waters of the Rico gulf raised 35 meters (100 feet) above the main lake's mean level.
(Photograph by Alexis Simunovic.)

Aún más grandioso e imponente que su vecino, el Perito Moreno, es el glaciar Upsala, al que los turistas pueden aproximarse con un catamarán de excursión. Tiene un largo de 60 kilómetros y un ancho de 8.000 m, estimándose la altura de su frente en cerca de 60 u 80 metros. (Fotos: Mario López.)

The Upsala glacier is even bigger and more impressive than its neighbouring Perito Moreno glacier. Tourists can have a close up look at the Upsala glacier by boarding an excursion catamaran. Upsala glacier is 60-kilometres long and 8,000 meter wide. Its face is estimated to be 60-80 metres high. (Photograph by Mario López.)

La mayor depresión de América

The deepest spot in America

Este paisaje árido y desolado no ofrece ningún atractivo especial, salvo por el hecho de ser el punto más bajo de todo el continente americano. Debido a la mayor fuerza de gravedad, en la Laguna del Carbón un reloj de péndulo —si no se lo corrige— adelanta 24 segundos por día respecto de otro ubicado a nivel del mar, por ejemplo en Buenos Aires.

A barren and solitary landscape with almost no special appeal. Laguna del Carbón, however, is the absolute lowest point of the American continent. Owing to high gravity, at this very spot, a pendulum clock, if left unadjusted would run 24 seconds a day faster than a pendulum clock running at sea level (say, in Buenos Aires).

Cuanto atlas o libro de referencia se consulte reflejará el mismo dato: el punto más bajo de las tres Américas es un ojo de agua salada llamado *Badwater*, en el *Death Valley* (Valle de la Muerte), situado en el deslinde entre los estados de California y Nevada, Estados Unidos. Este lugar se encuentra 86 metros bajo el pelo medio de los océanos. Empero, tal aseveración ya no es válida: la depresión más profunda del triple continente, según los últimos relevamientos topográficos mediante satélites, es un salar de aspecto poco llamativo, más bien desolado, en el centro este de la provincia de Santa Cruz.

Allí se extiende, a medio camino entre Puerto San Julián y Puerto Santa Cruz, una vasta depresión llamada Gran Bajo de San Julián. Buena parte de la comarca se encuentra bajo el nivel del mar, pero algunos salares son excepcionalmente profundos. En lo más hondo del dilatado bajío se halla la laguna del Carbón, donde el altímetro marca 105 metros bajo el nivel del mar.

El acceso a esta singularidad natural se halla 48 km al sur de Puerto San Julián, y el viajero debe internarse otros 18 km por caminos naturales antes de alcanzar la superficie sólida de sal que marca la verdadera localización de la depresión más profunda de América.

Any atlas or text book will tell you that the lowest spot of all the American continents is to be found in the United States, at a saltwater source called Badwater, located in the Death Valley, on the boundary between California and Nevada. Badwater is 86 metres below sea level. This, however, is no longer valid: the lowest spot of the continent, as per the last satellite surveys is a rather ugly-looking and desolate saltmarsh located to the central eastern area of the Province of Santa Cruz. There is found a large depression called Gran Bajo de San Julián, between Puerto San Julián and Puerto Santa Cruz.

A large part of the region is below sea level, and many of the saltmarshes are exceptionally deep. At the lowest point lies Laguna del Carbón, where altimeters show a reading of 105 metres below sea level.

Tourists can access this natural phenomenon 48 kilometres south of Puerto San Julián. The trip takes 18 kilometres or more by natural paths until the solid salt surface is reached, wherein lies the actual, deepest depression in America.

Estrecho de Magallanes

Strait of Magellan

Lluvia o nieve (mm) / Rain or snow (mm)

Ushuaia

ene jan	feb feb	mar mar	abr apr	may may	jun jun	jul jul	ago aug	sep sep	oct oct	nov nov	dic dec
22	23	16	11	33	17	31	51	34	28	22	21

Si bien en un principio se adjudicó a sir Francis Drake el descubrimiento en 1578 del extremo meridional del continente americano, ningún indicio con sustento serio permite corroborar esta afirmación. Sin embargo, el navegante holandés Willelm Schouten, del navío *Eendracht,* apuntó en su diario de navegación: *"Kap Hoorn. 57° 48' S. Rodeado a las 8 PM. 29 de enero de 1616".*
Hasta entonces, durante casi una centuria desde el descubrimiento del pasaje por Magallanes en 1520, se pensaba que la masa continental continuaba de manera ininterrumpida hacia el sur, conectada con aquella intuida *Terra Incógnita Australis* que hoy sabemos es la Antártida.
El estrecho fue llamado por su descubridor *fretum* (angostura, en latín), y por los cartógrafos después, "de Magallanes". Tiene una longitud aproximada de 600 km y una anchura que varía entre 4 y 33 km. En Primera Angostura su ancho es de unos 5 km, con una profundidad máxima de 80 m y variaciones entre pleamar y bajamar de 12 m. En verano la temperatura del agua alcanza como máximo los 6 °C, y todos los días durante 50 minutos (en horarios variables) las aguas están libres de correntada. El resto del día el agua está en movimiento; al momento de máxima velocidad, avanza a 16 km/h (4,44 m/seg) lo que significa que por la estrechura pasan hasta dos millones de metros cúbicos por segundo, es decir, cerca de 20 veces el volumen del Amazonas. Se puede atravesar el estrecho en ferry, partiendo de Monte Aymond (puesto limítrofe) hasta San Sebastián, en Primera Angostura; o bien cruzar en barco, desde Punta Arenas a Puerto Porvenir.

In principle, Sir Francis Drake was considered to have discovered the extreme southern point of the American continent in 1578. However, there is no evidence to sustain that opinion. Dutch navigator Willelm Schouten, on board his vessel Eendracht, wrote in his logbook *"Kap Hoorn, 57º 48' S. Doubled at 8:00 P.M. January 29, 1616".* Up to Captain Schouten's times, and for almost a century from the discovery of the strait by Magellan in 1520, navigators believed that the continental mass continued as an uninterrupted mass to the south and connected to *Terra Incognita Australis,* there was some intuition about what is, what we now know to be Antartida. Magellan called the strait fretum (a narrow passage, in Latin). Cartographers called it the strait "of Magellan" later on. The strait is approximately 600-kilometer long, with a width varying from 4 to 33 kilometres. At Primera Angostura, the strait is 5,000-metres wide, with a maximum depth of 80 metres. Between high and low tide there is a 12-meter variation. In summer, the maximum water temperature is 6 ºC. Everyday for 50 minutes (although, at different times of the day) there is no current at all. During the rest of the day the water is constantly moving. At its highest, water speed is 16-kilometres per hour, that's 4.44 m/sec, which means that through the narrow Angostura, 2,000,000 m^3 of water pass per second. In other words, approximately 20 times the volume of the Amazonas River. There are two possible ways to cross the Strait: one is by ferry, through the border checkpoint of Monte Aymond to San Sebastián (Primera Angostura) or by boat from Punta Arenas to Puerto Porvenir.

Un faro marca la Primera Angostura, uno de los puntos donde se puede cruzar el estrecho de Magallanes. Ferrys con cuatro potentes motores y hélices que giran 360 grados permiten vencer las correntadas y los vientos y brindar un servicio de trasbordo seguro.

A lighthouse marks the Primera Angostura, one of the points where the Strait of Magellan can be crossed. Ferries are equipped with four heavy-duty engines, and propellers capable of gyrating 360º to overcome currents and gale force winds, so as to ensure safe passage.

F.A.F.
Nº 2
NORA

Durante la primera mitad del siglo funcionó en Ushuaia el presidio nacional, cuyo edificio aún existe y puede visitarse. Con el fin de obtener madera para calefacción y trabajos de carpintería, ebanistería y artesanías, se construyó un servicio ferroviario Decauville con el que los presos transportaban los rollizos de madera de los cercanos bosques. Sobre la base de este "trencito del presidio" se creó en 1994 el Ferrocarril Austral Fueguino (FAF), con la estación Fin del Mundo, en Ushuaia. Realiza excursiones turísticas al Parque Nacional Tierra del Fuego.

During the first half of the century a federal penitentiary existed in Ushuaia. Buildings still exist and can be visited. To obtain firewood and raw materials for carpentry, cabinet making, and other crafts, a Decauville railroad was set up so that it would be easier for prisoners to have the logs cut up in the surrounding woods and transported to the penitentiary. On the basis of the so-called "little train of the penitentiary" Ferrocarril Austral Fueguino was developed in 1994. Ushuaia station is Fin del Mundo (World's End). Tourist excursions to Tierra del Fuego National Park are available.

Días largos, noches interminables

Long days, unending nights

En Tierra del Fuego la Ruta Nacional 3 bordea los lagos Fagnano (el más grande de la isla) y Escondido para cruzar el otrora temido paso Garibaldi y descender luego a Ushuaia. Este paso atraviesa la cresta de los Andes fueguinos, prolongación física de la cordillera de los Andes propiamente dicha.

In Tierra del Fuego, the National Route 3 runs along Lake Fagnano (the biggest lake on the island), and Lake Escondido. Then, before reaching Ushuaia, Route 3 crosses the Garibaldi pass, a pass that travellers were very much afraid of in times past. It crosses the top of the Fueguino Andean range, which is the physical continuation of the main Andes mountain range.

Localidad / place	21 de junio / june 21			21 de diciembre / december 21		
	Salida del sol Sunrise	Duración del día Daylight hrs	Puesta del sol Sunrise	Salida del sol Sunrise	Duración del día Daylight hrs	Puesta del sol Sunrise
Buenos Aires	8h 7 min	9h 48 min	17h 55min	5h 42 min	14h 31 min	20h 13min
Viedma (Chubut)	8h 43 min	9h 13 min	17h 56min	5h 38 min	15h 4 min	20h 42min
Ushuaia	9h 46 min	7h 37 min	17h 23min	5h 4 min	17h 1 min	21h 57min
Cabo de Hornos	10h 9 min	6h 55 min	17h 4min	4h 39 min	17h 36 min	22h 15min

Nota: las diferencias en los horarios de salida y puesta del sol no se deben únicamente al meridiano, sino también a la latitud en que se halla cada sitio.
Note: Differences between sunrise and sunset hours are not only due to the meridial but also to the latitude of each place.

Si bien, en comparación con el hemisferio Norte, Ushuaia se encuentra respecto del ecuador a igual distancia que ciudades tales como Hamburgo (Alemania), Manchester (Gran Bretaña) o Edmonton (Canadá), para América la antigua colonia presidiaria sobre el canal de Beagle representa poco menos que el confín austral del continente. Más allá, hacia el sur, sólo existen algunas bases o destacamentos militares y, en el extremo, el tormentoso cabo de Hornos.
Para los viajeros procedentes de Europa o de Norteamérica, las oscilaciones en la duración del día y de la noche que se registran tanto en la Patagonia austral como en Tierra del Fuego no resultan demasiado extrañas, ya que los habitantes de las tierras boreales están bastante familiarizados con las variaciones acentuadas entre la claridad y la oscuridad. Mucho más, en cambio, impresionan dichas fluctuaciones a los visistantes del resto de América del Sur hasta la latitud de Buenos Aires, por habitar en su mayoría relativamente cerca del ecuador.
En el cuadro se consignan los datos astronómicos de diversos lugares correspondientes a los solsticios de verano y de invierno del hemisferio austral, para ser tenidos en cuenta por los turistas.

In comparison to the Northern Hemisphere and with regard to the equator, Ushuaia is located at the same distance from equator as cities such as Hamburg in Germany, Manchester in the UK, or Edmonton in Canada. However, in the American mind, the old penitentiary colony overlooking the Beagle channel is “the last austral tip of the continent”. Further to the south there is nothing more than some military bases or detachments and, at the very end, the stormy Cape Horn.
Travellers from Northern Europe or North America are not so surprised by the variations between day and night existing in austral Patagonia or Tierra del Fuego, also inhabitants of the boreal lands of the Northern Hemisphere are quite familiar with great differences between sunlight and darkness.
But such differences are absolutely astonishing for travellers from South America (down to the latitude of Buenos Aires) because, in their great majority, the more southerly South American cities are near to the equator.
The table shows astronomical data from different places, corresponding to summer and winter solstices in the Southern Hemisphere a fact that tourists should take into account.

El PN Tierra del Fuego abarca 63.000 ha; es un ejemplo típico del bosque subantártico en medio de un paisaje de ríos, lagunas, mar y montañas. En algunas partes la selva ha sido raleada por colonias de castores introducidos desde el Canadá hace varias décadas.

Tierra del Fuego National Park is 63,000-hectare. It is a typical example of subantarctic woodland amidst a landscape of rivers, ponds, lagoons, ocean and mountains. In some areas, beavers that were brought from Canada some decades ago have reduced woodlands.

La flora exuberante del PN Tierra del Fuego sorprende al recién llegado. Pocos esperan encontrar un bosque casi subtropical tan próximo a la Antártida. En medio de la tupida vegetación, los acampantes levantan su carpa en el piedemonte del majestuoso cerro El Cóndor.

The exuberant flora of the Tierra del Fuego National Park is most surprising to the visitor. Few people would expect an almost subtropical forest so close to Antarctica. Backpackers pitch their tents at the foot of El Cóndor Mount, amidst the lush vegetation.

Tierra del Fuego, sea en su Parque Nacional o en cualquier otra parte de su sector central, en verano, sorprende al visitante con su vegetación frondosa, casi subtropical. Ello se debe tanto a las copiosas lluvias como al clima marítimo.

During summertime, any spot in Tierra del Fuego, including its National Park, is a surprise for travellers they are astonished by its lush, almost subtropical vegetation. This unexpected delight is due to both the abundant rainfall it receives and the sea climate.

QEPD
RIP
NATIVO
15-7-1965

Los primeros blancos que poblaron en forma permanente Tierra del Fuego fueron misioneros. Cumplido en parte su ministerio, se establecieron; por caso, la familia Bridges en la estancia Harberton, donde tanto el original portón de huesos de ballena como el modesto cementerio dan cuenta de un pasado de interesantes historias y tradiciones.

The first whitemen to populate Tierra del Fuego Island on a permanent basis were missionaries who eventually settled in, for example, the Bridges family at the Harberton ranch. In fact, at Harberton ranch, either the gate made of whalebones or the modest cemetery bring back memories of interesting stories and traditions.

En diversas zonas, un tanto apartadas de la urbanización, perduran en Tierra del Fuego grupos de viviendas hechas con materiales del sitio para resistir climas crudos, como ocurría en los días pioneros de la colonización.

At some spots in Tierra del Fuego, far away from recent urban developments, you can see houses that have been built using local materials so that harsh climates could be resisted, as was the habit in the pioneering days.

La *delikatesse* de consumisión obligada para todo aquel que llega a Ushuaia es la centolla. Este crustáceo con su exquisita carne blanca alcanza una envergadura de más de medio metro. Abunda en las costas de Tierra del Fuego donde vive en fondos pedregosos de hasta 70 metros de profundidad. Para los fueguinos es una importante fuente de ingresos; para los visitantes, plato obligado de toda mesa de restaurante bien servida.

A delicacy everybody arriving In Ushuaia should sample is "centolla" (king crab), with its exquisite white meat. King crab is a crustacean likely to reach a half- metre in width. It is in plentiful supply along the Tierra del Fuego coastline where the king crab lives on the stony bottom of the ocean, down to depths of 70 metres. For the Fueguino people, the king crab is a valuable source of wealth. For tourist it is a must at any good restaurant.

La navegación por el canal de Beagle en un barco de excursión, en un velero o de paso con uno de los grandes cruceros que de Ushuaia zarpan hacia la Antártida, es una vivencia inolvidable. La mar de montañas dan fondo al escenario sobre el que las nubes desarrollan una intensa actividad.

An unforgettable voyage. Navigation on the Beagle channel on board either an excursion boat, a sailing boat or one of the cruise liners that weigh anchor from Ushuaia on route to Antarctica. A lot of mountains set the background of both the landscape and the seascape, upon which, clouds excitedly travel by.

Son característicos para Ushuaia y extensas partes de Tierra del Fuego los frecuentes cambios climáticos. A intervalos de minutos puede brillar el sol, lloviznar, llover o nevar. La situación del tiempo se observa mejor mirando hacia el monte Olivia (1.476 m).

Frequent climatic changes are typical in Ushuaia, and large parts of Tierra del Fuego island as well. The weather can change in a question of minutes, the sun can be streaming down one minute and the next its drizzling, then pouring and then maybe even some snow. The weather is best guessed by looking towards the 1,476-meter mount Olivia.

Nacido de una estancia pionera al sudeste de Ushuaia, Harberton es un lugar que merece la pena visitar. Todo aquí parece respirar el aire del siglo XIX.

Evolved from a pioneering estancia Southeast of Ushuaia, Harberton is a place which deserves to be visited. Everything here seems like it used to be in the 19th century.

Aunque la mayoría de los turistas visitan Ushuaia por ser el "fin del mundo" (existe también un museo con este nombre), la ciudad ofrece múltiples e insospechados encantos que sorprenden al forastero. El cono del majestuoso monte Olivia es la silueta inconfundible de este punto geográfico donde terminan carreteras y ferrocarriles; desde aquí sólo es posible proseguir en avión o en barco.

Even though the great majority of tourists visit Ushuaia because it is the "end of the world" (incidentally, there is a museum by that name), Ushuaia offers many unexpected and charming spots sure to offer a tourist a nice surprise. The majestic cone of mount Olivia is located at a point where both highways and railroads come to an end. From there onward, you can only continue by plane or boat.

Punto final de un viaje casi interminable: un mástil y un cartel marcan el término de la Ruta Nacional 3, que nace en Buenos Aires y concluye en Lapataia, después de recorrer 3.063 km (además del tramo de ruta por territorio chileno en el norte de Tierra del Fuego).

The end of an almost unending trip: A mast and a sign signalling the end of the 3,063 kilometre long National Route 3 which starts in Buenos Aires and reaches its end in Lapataia bay after a short trip through Chilean territory to the north of Tierra del Fuego.

Breve cronología patagónica

A short cronology of Patagonia

1512. Aparece en la ciudad universitaria española de Salamanca un libro, de autor anónimo, de título Primaleón, donde figura un ser monstruoso llamado "Patagón" en el que se habrían inspirados los marinos que descubrieron la Patagonia para darle este nombre al territorio. Según otras fuentes dicha denominación se debe a navegantes lusitanos (Magallanes era de esa nacionalidad) a quienes pareció que los naturales tenían pies muy grandes (patagoa: pata grande).
1513-1514. Posible expedición de los navegantes portugueses Nuño Manuel y su hermano Cristóbal de Haro hasta las costas patagónicas.
1519, 20 de septiembre. Zarpaba de San Lúcar de Barrameda la flotilla de Hernando de Magallanes, convoy compuesto por cinco naves con 266 tripulantes.
1520, 31 de marzo. Desembarcaban en una bahía patagónica que bautizaron San Julián.
1520, agosto. Recalaron en la bahía de Santa Cruz.
1520, 25 de octubre. La flota de Magallanes, reducida a tres navíos, terminaba por descubrir el estrecho que conduce al océano Pacífico; la primera circunnavegación del globo fue completada por la nao Victoria, al mando de Juan Sebastián de Elcano, el 8 de septiembre de 1522, con los últimos 18 sobrevivientes.
1525, 24 de septiembre. De España partía una segunda expedición a la Patagonia bajo el mando de García Jofré de Loaisa y con Elcano como piloto; recalaron en Santa Cruz, entraron en la ría de Río Gallegos y atravesaron el estrecho, pero, uno tras otro, los seis barcos zozobraron, naufragaron, se dispersaron y se perdieron; el primero de los pocos sobrevivientes de esta expedición regresó a España, solo, en 1537.
1534, 21 de septiembre. Se hacía a la mar desde España la poderosa expedición de Simón de Alcazaba, seducido por América bajo la impresión de las riquezas halladas en el Perú por Francisco Pizarro y Diego de Almagro. Se surtieron de provisiones en el Río de la Plata, en Puerto Leones y en Río Gallegos, y penetraron el estrecho, en cuyas costas también desembarcaron, pero allí debieron volverse sin haberlo atravesado.

1512. In the university city of Salamanca, Spain, a book by an unnamed author is published under the title Primaleón. A monstrous being, by the name "Patagón" appears in the story. Apparently, sailors who discovered the land that we now know as Patagonia got their inspiration in that character when it came to give a name to the land.
Other sources, however, think that the name was created by Portuguese navigators (Magellan was Portuguese) since patagoa is Portuguese for big paw, and sailors were of the opinion that natives were big-footed.
1513-1514. A possible expedition of Portuguese navigators Nunho Manoel and his brother, Christovao de Haro to the Patagonian coastline.
1519 (September 20). Hernaldo Magellan's flotilla weighted anchor from the Spanish port of San Lúcar de Barrameda. Flotilla was a 266-man crew on board five vessels.
1520 (March 31). Magellan disembarked on a bay he called San Julián.
1520. Magellan came ashore in a bay he called Santa Cruz.
1520 (October 25). A strait leading to the Pacific Ocean is discovered by Magellan' s flotilla now reduced to three vessels. The first circumnavigation ever was completed by the vessel Victoria, with Juan Sebastián de Elcano in command of the last 18 survivors on September 8, 1522.
1525 (September 24). A six-vessel second expedition to Patagonia weighed anchor from Spain, with García Jofré de Loaisa in command, and Elcano as sailing master. The expedition reached land in the Santa Cruz bay, and entered an estuary that was called Río Gallegos.
Furthermore, the expedition crossed the strait but, one by one, the vessels capsized, sank, and were dispersed or simply got lost. One of the few survivors got back to Spain in 1537, alone.
1534 (September 21). A powerful expedition with Simón de Alcazaba in command set sail from Spain. Alcazaba was under the spell of América, influenced by the riches both Pizarro and Almagro had found in Peru. Alcazabas' expedition got supplies in the River Plate area, in Puerto Leones, and Río Gallegos, and eventually entered the strait.

1539, agosto. Salía de Sevilla la flota del obispo de Plasencia en dirección al estrecho; en el mismo intento ya había fracasado dos años antes el marino genovés León Pancaldo, quien finalmente se refugió en la incipiente aldea de Buenos Aires, fundada primero por Pedro de Mendoza. De los tres navíos de la flota, uno finalmente logró llegar al Perú, otro regresó a España y el tercero zozobró en el estrecho. De los 150 marinos de este último, 17 años después (en 1556), los tripulantes Antonio de Cobos y Pedro de Oviedo alcanzaron Concepción, en Chile, donde relataron haber visto en su azaroso recorrido comarcas ubérrimas y ciudades riquísimas, una de ellas llamada Trapalanda, todo lo cual daría pie a la convicción de que en el extremo del continente aguardaban a los conquistadores bonanzas y tesoros de incalculable valor. Entre 1525 y 1540 fracasaron siete expediciones con un total de 21 buques, en sus intentos de volver a navegar el estrecho; sólo Camargo alcanzó Chile con contados sobrevivientes.

1537. Juan Ladrilleros fue el primero en atravesar el estrecho de oeste a este.

1577, 13 de diciembre. Se hacía a la vela, desde el puerto de Plymouth, la escuadra de Francis Drake (5 barcos, 162 tripulantes) a fin de abordar navíos portugueses y españoles que, cargados de tesoros, regresaban desde América. Anclaron en las bahías que verosímilmente son las de Puerto Deseado y San Julián para luego atravesar el estrecho y realizar una serie de actos de audaz piratería, desde Perú hasta California.

1581, 25 de septiembre. Para poner coto a las andanzas de Drake y otras similares (como las de Walter Raleigh o Thomas Cavendish) se hace a la mar una poderosa flota con Pedro Sarmiento de Gamboa a la cabeza, a fin de establecer fortalezas en la región del estrecho. Cerca de Cabo Vírgenes fundaron una ciudad, Nombre de Jesús, de efímera duración, y otro asentamiento hacia el poniente, llamado Ciudad Rey Felipe pero luego conocido por Puerto Hambre.

1615. Durante gran parte del siglo XVII los navegantes y exploradores se concentraron en la búsqueda de una vía alternativa al temible estrecho —de impiadosas tormentas. En 1615 este paso fue hallado por una flotilla compuesta por las velas Concordia y Hoorn, al mando del capitán Wilhelm Shouten de la compañía comercial

Expeditioners disembarked on the strait coastline but, unfortunately, Alcazaba and his crew could not cross the strait and had to return to Spain.

1539 (August). The Bishop of Plasencias' three-vessel flotilla set sail for the strait. A similar attempt by the Genoese sailor León Pancaldo had been a failure two years before (eventually, Pancaldo had to seek shelter in Buenos Aires, a precarious village at that time, that had been originally founded by Pedro de Mendoza). Of the three vessels from Bishop Plasencias' expedition, one could eventually reach Peru; a second vessel managed to get back to Spain, and the last one sank in the strait. That last vessel had a 150-man crew onboard. Seventeen years later, sailors Antonio de Cobos and Pedro de Oviedo arrived in the town of Concepción, Chile, where they told impressive news: During their risky voyage they had apparently visited most fertile lands and cities of incredible wealth, one of them by the name of Trapalanda. Such a dishevelled fancy gave birth to a belief that the extreme south of the continent harboured treasure and incalculable riches, just waiting for conquerors. Between 1525 and 1540 seven expeditions, with a total of 21 vessels, failed to sail through the strait. Only a sailor by the name of Camargo was able to arrive in Chile with a few survivors.

1537. Navigator Juan Ladrilleros was the first man to cross the strait from west to east.

1577 (December 13). With a 5-vessel, 162-man crew, British Francis Drake's fleet set sail from Plymouth to board Spanish and Portuguese vessels coming back from America with treasures. Drake' s fleet weighed anchor in "bays" that were, probably, Puerto Deseado and San Julián. Furthermore, Drake crossed the strait successfully, and engaged in bold privateering actions from Peru to California.

1581 (September 25). To stop Drake and other privateers, such as Walter Raleigh and Thomas Cavendish, a powerful Spanish fleet with Pedro Sarmiento de Gamboa in command, set sail in order to establish forts in the strait area. Near Cabo Vírgenes, Sarmiento de Gamboa founded a town by the name of Nombre de Jesús, the existence of which was only ephemeral. Another fort to the west was set up, by the name of Ciudad Rey Felipe, even though the town was later known as Puerto Hambre (Hunger Port).

Austral. En Puerto Deseado se incendiaba el Hoorn (nombre tomado del pueblo de nacimiento del Capitán Shouten), y con la única nave restante avistaron las Sebaldinas (Malvinas), para luego pasar por la punta extrema de Sudamérica a la que aplicaron el nombre *Cap Hoorn* (Cabo de Hornos). El descubrimiento de esta vía alternativa hacia el Pacífico causó seria preocupación en España.

1651. Llegaba a Chile el jesuita italiano Niccolo Mascardi, quien en 1670 cruzaría la cordillera en dirección al levante, llegando a orillas del lago Nahuel Huapi con el propósito de evangelizar a los indígenas. También habría traído consigo semillas de diversos cereales y plantas, entre ellos manzanos, algunos de cuyos "descendientes" aún crecen en la región en forma silvestre. Pero además de fundar una reducción para cristianizar a los nativos, Mascardi también buscaba la legendaria "Ciudad de los Césares", una supuesta urbe con adoquines de plata y tejas de oro de la que se hablaba desde los días en que Sebastián Gaboto, en 1527, había asentado sobre el Paraná el fuerte Sancti Spiritus. Mascardi realizó varias y extensas travesías, llegando hasta los puertos atlánticos de San Julián y Deseado. Fue asesinado en 1673 por guerreros del cacique Antullanca en las cercanías del lago andino que hoy lleva su nombre. Otras expediciones en busca de la "Ciudad de los Césares" fueron las de Francisco de Villagra, desde Chile (alcanzando el Limay), el capitán Juan Fernández (1620, hasta el Nahuel Huapí), Diego Ponce de León (procedente de Chile, al igual que las anteriores) y Luis de Cabrera, nieto del fundador de Córdoba, quien descendiendo desde dicha provincia alcanzó Neuquén, siempre en busca de gemas y metales preciosos.

1657. Primera circunnavegación de la Tierra del Fuego por los hermanos Nodal, sin perder un solo hombre.

1745. Habiendo transcurrido dos siglos largos, desde los primeros desembarcos más o menos breves en los puertos patagónicos, sin que se hubiera establecido en ese vasto territorio un asentaminento permanente, José de Andonaegui, gobernador del virreinato del Río de la Plata, encomendó a los jesuitas Matías Strobel, José Cardiel y José Quiroga fundar una misión en dicha comarca; pero, salvo el reconocimiento parcial del país, no se estableció ninguna población. Un nuevo intento similar, a mediados de la década de 1760, terminó sin otro resultado que el desembarco de un grupo de exploradores en la bahía de San Sebastián (Tierra del Fuego) y la iniciación de relaciones con los aborígenes. La carta del estrecho que sirve de fondo a esta página data de esa época.

1778. A partir de este año España inició una campaña para asentar poblados duraderos en diversos puntos de la costa patagónica; Juan de la Piedra, Antonio de Viedma

1615. During a great part of the 17th century, navigators and explorers engaged in looking for an alternative route to the Pacific Ocean, to avoid the dreadful strait and its terrible storms. In 1615, the alternative was found by a 2-vessel flotilla (vessels Concordia and Hoorn) captained by Wilhelm Shouten from the Austral Trading Company. The Hoorn (called after Captain Shouten' s birth town) caught fire in Puerto Deseado. With only the Concordia left, Shouten described Sevaldinas islands at a distance (a former name for Malvinas Islands), then Captain Shouten passed the extreme end of the South Pacific Ocean, this was a cause for great concern in Spain.

1651. Niccolo Mascardi, an Italian Jesuit arrived in Chile. In 1670 he crossed the Andes eastward and reached Lake Nahuel Huapí where he settled to evangelise the natives. He had also brought with him seeds of different cereals and plants, among them he had apple trees: At present, some offspring of Father Mascardi's apple seeds still grow in the area as a wild species. Besides founding a reservation for evangelising Indians, he was also seeking the legendary "City of the Caesars", a city that was supposed to have silver pavements and golden roofing tiles, people had been talking about this place since the times when Sebastian Cabot had founded Fort Sancti Spiritus, on the banks of the Paraná River in 1527. Father Mascardi completed several long trips, reaching the Atlantic Ports of San Julián and Deseado. In 1673, he was murdered by the warriors of cacique Antullanca near an Andean lake, which is now known as Lake Mascardi. Other expeditions searching for the so-called "City of the Caesars" were conducted by Francisco de Villagra starting from Chile and reaching the Limay River; Captain Juan Fernández (1620) reaching Lake Nahuel Huapí; Diego Ponce de León (coming from Chile as Fernández), and finally Luis de Cabrera, grandson of the founder of the city of Córdoba, Argentina. From Córdoba, Cabrera went all the way down to Neuquén, all of them were eager to discover the famous, yet elusive, gems and precious metals.

1657. Brothers Nodal was the first to achieve circumnavigation of Tierra del Fuego Island without losing a man.

1745. Two centuries after the first, more or less brief landings in Patagonian ports, that had not meant any permanent settling in this huge territory, José de Andonaegui, a governor of the River Plate area, commended Jesuits Matías Strobel, José Cardiel, and José Quiroga to found a mission in Patagonia. Fathers Stroebel, Cardiel, and Quiroga were also encouraged to reconnoitre the land, they found no new populations. A new and similar attempt was performed in the 1760's, with the only result being of some explorers landing in the San Sebastián bay (Tierra del Fuego Island) and trying to establish some relationships with natives. The map on this page showing the Magellan's Straight, was made in that period.

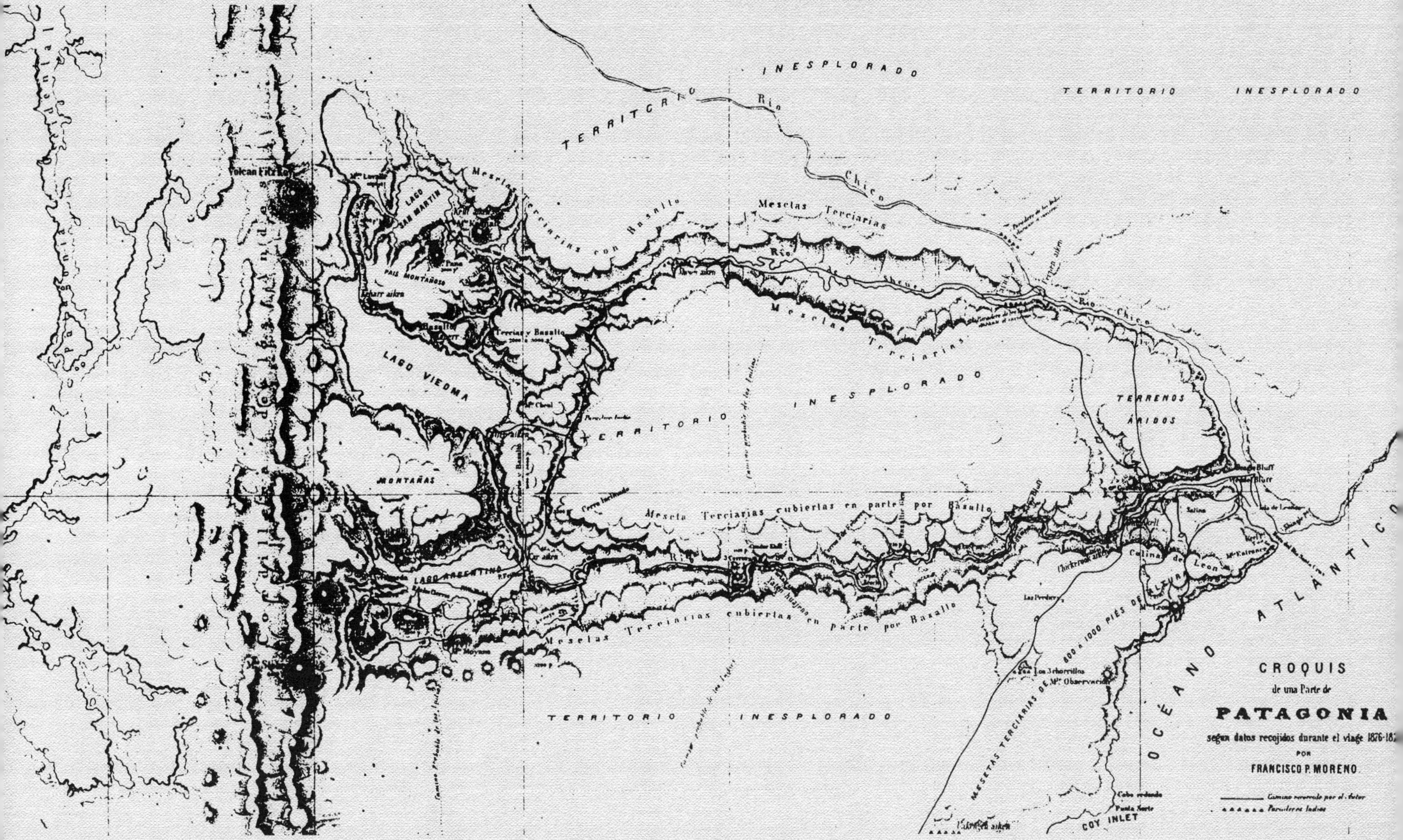
TERRITORIO INESPLORADO
TERRITORIO INESPLORADO
Rio Chico
Mesetas Terciarias
Mesetas Terciarias con Basalto
Volcan Fitz Roy
LAGO SAN MARTIN
PAIS MONTAÑOSO
LAGO VIEDMA
TERRITORIO INESPLORADO
TERRENOS ARIDOS
MONTAÑAS
Meseta Terciarias cubiertas en parte por Basalto
LAGO ARGENTINA
Colinas de Leon
Mesetas Terciarias cubiertas en parte por Basalto
MESETAS TERCIARIAS DE 800 á 1000 PIES DE ALTURA
TERRITORIO INESPLORADO
OCEANO ATLANTICO
COY INLET
CROQUIS
de una Parte de
PATAGONIA
segun datos recojidos durante el viage 1876-187
POR
FRANCISCO P. MORENO
Camino recorrido por el Autor
Paradero de Indios

y Basilio Villarino fueron algunos de los artífices de esta epopeya. Se establecieron colonias en la península Valdés (sobre el golfo de San José), en San Julián y en la orilla norte del río Negro.

1779, 23 de abril. Fundación de Mercedes de Patagones, por Francisco de Viedma (o Biedma), sobre la margen derecha (austral) del río Negro. Fue capital de la gobernación de Patagonia hasta 1884, cuando pasó a ser cabecera del Territorio Nacional del Río Negro. En 1789 una fuerte creciente destruyó en parte el incipiente poblado y obligó a los habitantes a trasladarse a un lugar más alto, en la orilla opuesta, localidad bautizada Carmen de Patagone. Lo que quedó de la aldea antigua fue rebautizado el 21 de octubre de 1878 con el nombre de Viedma.

1810. Al producirse la Revolución del 25 de Mayo, existía en la Patagonia un solo centro habitado: Carmen de Patagones; en Puerto Soledad (islas Malvinas) vivían además 50 personas. Todos los demás esfuerzos por establecer centros urbanos permanentes en el sur habían fracasado, ya porque las poblaciones no fueron autosuficientes, ya por haber sido destruidas por indios belicosos.

1831-1836. Expedición alrededor del mundo del navío británico Beagle al mando del capitán Robert Fitz Roy, a cuya tripulación pertenecía también Charles Darwin. Desembarcaron tanto en las islas Malvinas como en Tierra del Fuego y relevaron parte del río Santa Cruz, avistando a lo lejos la gran cordillera.

1840. Primera travesía por el estrecho de un buque de vapor (con velamen auxiliar).

1860, 17 de noviembre. Se proclamaba "Rey de Araucania" chilena el francés Orllie Antoine de Tounens, quien tres días después de esta resolución insólita y unilateral extendía su domino también a la Patagonia. Declaró la guerra a Chile, fue apresado, declarado insano, luego cuerdo, liberado y finalmente devuelto a su país natal, Francia. En 1869 regresó a la Argentina para desembarcar en San Antonio y asociarse a las tribus belicosas. Orllie-Antoine, "1er Roi d' Araucanie et de Patagonie", llegó en 1874 a acuñar monedas de valor de un peso, pero no obstante esta y otras quijotadas su "imperio" no llegó más alla de ser un episodio curioso.

1865, 28 de julio. En una tranquila bahía patagónica sobre el paralelo 42 ancló el velero Mimosa, procedente de Liverpool. Llevaba a bordo 151 ciudadanos galeses, entre hombres, mujeres y niños, que desembarcaron con el propósito de afincarse en el valle del río Chubut y colonizarlo. Sequías, inundación y ataques de los naturales conspiraron contra los esfuerzos iniciales. Con el arribo de otro contingente de colonos galeses desde Estados Unidos se renovó e intensificó la colonización de este segmento de la Patagonia, desde la costa hasta los Andes, creándose en forma sucesiva poblaciones tales como Gaiman, Dolavón, Trelew y Trevelín, entre otras. Con la terminación del Fe-

1778. As of this date, Spain launched a campaign for the foundation of durable settlements in various spots of the Patagonian coast. Juan de la Piedra, Antonio de Viedma, and Bacilio Villarino were some of the explorers and founders: They established colonies on the Valdés Peninsula, overlooking the gulf of San José, in San Julián, and on the northern bank of the Negro River.

1779 (April 23). Foundation of the town of Mercedes de Patagones by Francisco de Vietma (sometimes also written Bietma) on the southern bank of the Negro River. Mercedes de Patagones was the capital city of the Patagonia Governorship until 1884 when it was declared to be the capital city of the Río Negro National Territory. In 1789, a violent flood had partly destroyed Mercedes thus forcing inhabitants to move to a higher spot on the opposite bank. The new village was called Carmen de Patagones while the remainder of old Mercedes had its name changed into Viedma, on October 21, 1878.

1810. At the time of the Revolution of May 25, 1810, there was only one inhabited spot in Patagonia, namely, Carmen de Patagones. Only some 50 people were living at Puerto Soledad (Malvinas Islands). All other attempts at setting up permanent villages or towns to the south had failed: Either the villages were far from being self-sufficient, or they had been destroyed by Indian warriors.

1831-36. The worldwide expedition of British Captain Robert Fitz Roy upon the Beagle, boasted people such as Charles Darwin as fellow crewmembers. Expeditionists disembarked onto the Malvinas Islands and Tierra del Fuego Island, they surveyed a part of the Santa Cruz River and described the Andes from a distance.

1840. For the first time, the strait is crossed by a steamship (even if with, auxiliary sails).

1860 (November 17). An extravagant Frenchman, Orllie-Antoine de Tounens claims himself to be "King of the (Chilean) Araucania". Three days after such an unusual, as well as unilateral self-proclamation he also extended his dominion to Patagonia. Tounens then declared war on Chile, was captured and ruled as a madman, afterwards. Recognized to be of sound mind, he was freed and eventually sent back to his native country, France. In 1869 he returned to Argentina, landed in San Antonio and achieved an alliance with the belligerent Indians tribes. In 1874, Orllie-Antoine, self-anointed "1st Roi d' Araucanie et de Patagonie" coined one-peso coins, but, notwithstanding this and other quixotic enterprises, his "empire" was no more than a curious episode.

1865 (July 28). The sailing ship Mimosa coming from Liverpool anchored at a quiet Patagonian bay under parallel 42. One hundred and fifty one Welsh subjects ,men, woman, and children, disembarked there to settle in the valley of the Chubut River. Droughts, floods, and Indian attacks hindered the Welsh settlers first efforts. With the arrival, however, of another group of Welsh settlers coming from the United States, the

rrocarril Central de Chubut, entre Gaiman, Trelew y Puerto Madryn (84 km), se facilitó el transporte de los productos a un desembarcadero favorable, precisamente donde habían desembarcado los primeros colonos; el ciclo culminó hacia 1885.

1869-1871. El marino y explorador inglés George Chavorth Musters recorrió en forma extensa la por entonces ignota Patagonia, para lo cual se integró a una tribu de tehuelches trashumantes. Vivió y se vistió como los indios nómadas, recorriendo una distancia estimada en 2.700 kilometros a lo largo de territorios nunca atravesados por hombres blancos. Su relato, publicado en forma de libro con el título *At home with the patagonians* (Londres, 1871), le valió que la Sociedad Geográfica premiara su hazaña y le obsequiara un reloj de oro.

1870. Establecimiento de una misión anglicana en Tierra del Fuego sobre el canal de Beagle, por R. P. Thomas Bridges para la evangelización de los indios. En 1884 se censó a 1.000 yaganes, pero tan sólo dos años después una epidemia de sarampión había reducido su número a 400.

1875. Primero de los dos más importantes viajes por la Patagonia (el segundo lo efectuó en 1879) del naturalista Francisco Pascasio Moreno ("Perito" Moreno). Recorrió las regiones del Nahuel Huapí y más tarde los grandes lagos de Santa Cruz, algunos de los cuales bautizó con los nombres de Argentino, Viedma y San Martín. Fue apresado por los indios en una de sus travesías, pero logró escapar. Más tarde sería nombrado director del museo de Ciencias Naturales de La Plata.

1879. Los reiterados asaltos de los belicosos indios de la Patagonia y La Pampa, que arrebataban a los colonos blancos no sólo su hacienda, sino a menudo también a sus mujeres e hijas, movieron al general Julio A. Roca, a la sazón ministro de Guerra, a convencer al presidente Nicolás Avellaneda y al Congreso de iniciar una campaña pacificadora. La numerosa tropa partió en abril de ese año y alcanzó la isla de Choele-Choel el día patrio, 25 de mayo. No se registraron grandes batallas en lo que luego se dio en llamar la Conquista del Desierto, pero sí hubo numerosos combates en los ríos Negro y Neuquén. Se pacificó a varios caciques y se tomó prisioneros a otros; con ello se dio término a una acción armada de casi cinco años de duración.

1884, septiembre. En 1870, después de un primer intento evangelizador realizado por el misionero inglés Wasti H. Stirling, se asentó en la bahía de Ushuaia el ministro anglicano Thomas Bridges, quien fundó una misión a cuyo alrededor creció un pueblito de casas blancas; este poblado fue hallado por una misión naval argentina, al mando del comodoro Augusto Laserre, en septiembre de 1884. Se estableció una dependencia de Subprefectura Naval y se delineó una planta urbana que tuvo vida legal desde el 23 de diciembre de 1893. En 1902 se instaló allí un presidio para presos

colonisation of this part of Patagonia (from the coastline to the Andes) was renewed and strengthened, and towns such as Gaiman, Dolavon, Trelew, and Trevelin were founded among others.

When the Chubut Central Railroad between Gaiman, Trelew and Puerto Madryn was finished (84 kilometres) the transportation of products was made easier towards a convenient coastal spot: Indeed the same place where the 1865 settlers had disembarked. Now the years was 1885.

1869-1871. George Chavorth Musters, a British sailor and explorer, travelled extensively through Patagonia, which, at that time was a "terra incognita". In making this connection, Muster was able to get friendly with the nomadic Tehuelche tribe who accepted him, so he not only dressed as Tehuelche, but also lived with them. His trips covered approximately 2,700 kilometres through territories that had never been visited by white men. When back home, he published "At home with the Patagonians" in London, 1871.

1870. Rev. Thomas Bridges established an Anglican mission TO evangelise Indians on Tierra del Fuego Island, overlooking the Beagle Channel. In 1884, a census reckoned 1,000 Yagane Indians. Two years later, however, an epidemic of measles had reduced the number of natives to just 400.

1875. Date of the first important voyage of Francisco Pascasio Moreno (a famous Argentine naturalist, known in Argentina as "Perito" [Expert] Moreno, due to his works on border problems with Chile). His second important voyage took place in 1879. During his 1875 trip, Moreno first travelled through the Lake Nahuel Huapi area. Afterwards, he explored the area of the great Patagonian lakes in the Santa Cruz vicinity. Some lakes such as Argentino, Viedma, and San Martín were given their names by Moreno. Indians captured him during one of his trips, however he was able to escape. Later on, Moreno was appointed director of the Museum of Natural Sciences of the city of La Plata.

1879. Time and time again, the belligerent Indians from Patagonia and the Pampean areas attacked the white settlers. Indians not only robbed settlers' cattle but also captured settlers' wives and children. Gen. Julio A. Roca who was at that time Minister of Defense persuaded both President Nicolás Avellaneda and the Congress to start a pacifying campaign. A large number of troops started out from Buenos Aires in April 1879, arriving in Choele Choel Island one month later, just on the Argentine Revolution day, May 25. The campaign that was to be called "The Dessert Conquest" did not register great battles, however there was great number of combats near both the Negro River and the Neuquén River. Several caciques accepted pacification, other caciques were held prisoner. The campaign lasted almost five years.

confinados que funcionó hasta mediados del siglo veinte. El 19 de mayo de 1904 la ciudad de Ushuaia fue declarada capital del Territorio Nacional de Tierra del Fuego.

1887. Instalación del faro que señala la barra del río Negro, cerca de Viedma, primero de toda la costa patagónica. No obstante, ya en 1884 se había construído la linterna San Juan de Salvamento, en la isla de los Estados.

1888. El ciudadano rumano Julius Popper fundó al norte de la bahía San Sebastián, en Tierra del Fuego, la compañía Lavaderos de Oro del Sud, contratando operarios dálmatas para las labores, pero conchavando asimismo a numerosos hombres onas. Para los nativos esto significó prácticamente el principio de su desaparición como tribu pues contrajeron enfermedades contagiosas contra las que carecían de defensas naturales. Ona significa "viento del norte", pero ellos mismos se autodenominaban *shelk' enan*: hombres, seres humanos.

1893. El misionero italiano de la congregación salesiana R. P. Giuseppe Fagnano, tras haber establecido en 1887 una misión en Punta Arenas, hizo en 1893 lo propio en la parte norte de la Isla Grande de Tierra del Fuego. Con el nombre de La Candelaria, esta misión acogía en su seno a 1.500 onas; tras su destrucción por un incendio fue trasladada en 1897 al sitio de la actual ciudad de Río Grande.

1897, 20 de diciembre. Se dispuso la fundación de un pueblo con el nombre de Río Gallegos en la margen sur del estuario del río epónimo donde, por las excelentes condiciones del puerto, ya en 1895 existían unas 25 casas. En 1901 se hizo mensura de las tierras, y el 19 de enero de 1904 se le dio carácter de capital del Territorio Nacional de Santa Cruz. Se encuentra a 13 km de Punta Loyola, desembocadura del río Gallegos, cuya ría se caracteriza por las extraordinarias diferencias entre pleamar y bajamar, con variaciones de hasta 12 metros.

1899. Exploración de la lengua de hielo conocida hoy con el nombre de ventisquero Perito Moreno por el glaciólogo alemán Rodolfo Hauthal, su primer relator científico, quien lo bautizó inicialmente Bismark-Gletscher. Este glaciar avanzó en 1917 al punto de aislar los brazos Sur y Rico del lago Argentino, como consecuencia de lo cual —por primera vez en tiempos históricos— el líquido embalsado ascendió a considerable altura por encima del nivel medio de las aguas del lago principal. Se fundó la población de Santa Cruz en la desembocadura del río homónimo sobre la costa del Atlántico. Este puerto, uno de los mejores del litoral patagónico, ya había sido descubierto en 1520 por Juan Rodríguez Serrano, de la flota de Magallanes. Recibió al principio la denominación Colonia Nacional Agrícola y fue capital del Territorio Nacional de Santa Cruz hasta que en 1898 Río Gallegos fue designada como tal. En sicigias extraordinarias, en este estuario ocurren oscilaciones del nivel marino hasta de 14,6 me-

1881. The first scientific, exploring expedition to Patagonia, on behalf of the Argentine Government, with Giacomo Bove, a lieutenant with the Italian Navy, in command. In 1886, a second expedition was launched, with Ramón Lista in command. A Salesian priest, Father Giuseppe Fagnano was also a member of expedition.

1884 (September). In 1870, after a first attempt by W. H. Stirling, a British missionary, Rev. Thomas Bridges (reference to whom has already been made) established himself in the Ushuaia bay area and founded a mission.

In quite a short time a white-housed village appeared near to the Indian reservation. The village was visited by Argentine commodore Augusto Laserre, he was in command of an official Navy mission. Thus, an Argentine Navy Sub prefecture establishment was set up, and a town called Ushuaia was legally founded on December 23, 1893. In 1902, a penal colony was in use up to mid-20th Century.

On May 19, 1904, Ushuaia was declared capital city of the Tierra del Fuego National Territory.

1887. Setting up of the lighthouse pointing out to the sandbar of the Negro River, near Viedma. This was the first lighthouse on the Patagonian coastline (however, the so-called "lantern" San Juan de Salvamento had already built on Estados Island).

1888. Julius Popper, a Romanian citizen, founded a company by the name of Lavaderos de Oro del Sud (The Southern Gold Placer) to the north of San Sebastián bay on Tierra del Fuego Island. Popper hired Dalmatian workers, but he also hired many Ona Indians. Working at the placer meant the beginning of the disappearance of this tribe when workers became infected with contagious diseases from the white men, against which Indian worker had no antibodies. Ona means "Northern wind" but those Indians called themselves shelk' enan: that is "men, human beings".

1893. Salesian Father Giuseppe Fagnano (reference to whom has already been made) had already established a mission in Punta Arenas, Chile, in 1887. He founded another mission, La Candelaria, to the north of Tierra del Fuego Island, giving shelter to 1,500 Ona Indians. After a fire had destroyed the mission, it was moved to the place where the city of Río Grande was located in 1897 and where it remains to this day.

1897 (December 20). It was decided that a town by the name of Río Gallegos should be founded on the south bank of the Gallegos River, owing to the excellent conditions of the harbour, there were already 25 houses in existence by 1895. Lands were surveyed in 1901. On January 19, 1904 Río Gallegos was declared capital city of the Santa Cruz National Territory. The city is located 13 kilometres from Loyola Point, which is located upon the Gallegos River estuary. The estuary is famous for the extraordinary differences in water levels,12 meters at times, between high tide and low tide.

tros. El 19 de diciembre se creaba una colonia nacional agrícola de 34.500 ha de extensión, dentro de la cual se trazó la planta de un pueblo con el nombre de San Julián. Esta rada y excelente puerto había sido descubierto en la víspera de la Pascua de Resurrección (31 de marzo) de 1520 por Hernando de Magallanes, quien le dio su actual nombre. Magallanes, que se detuvo allí durante los cuatro meses de invernada y para calafatear sus barcos, llamó a los naturales con el nombre de patagones ("pies grandes"); en 1578 recaló aquí Francis Drake. En 1781 Antonio de Viedma fundó, a siete kilómetros del sitio donde desembarcó Magallanes, la colonia de Floridablanca, donde se sembró trigo, avena y cebada; no obstante en 1783 se dispuso el abandono del establecimiento.

Hacia finales del siglo XIX llegaban a su término la conquista y la colonización de la Patagonia. Los procesos de organización política y de industrialización serían los pasos siguientes de estos esfuerzos por transformar el otrora "lejano Sur" en una porción homogénea de Sudamérica.

1899. Rudolph Hauthal, a German specialist in glaciers, was the first man to scientifically explore and describe the huge glacier known today as Perito Moreno glacier, even though Hauthal first called it Bismark-Gletscher. In 1917, the glacier moved forward, to such an extent that it blocked and isolated the Sur and Rico branches of Lake Argentino. As a consequence, and for the first time in History, the blocked water rose up to a considerable height upon the mean level of water in the main body of the lake. The harbour of Santa Cruz was founded on the estuary of the Santa Cruz River, overlooking the Atlantic Ocean. The harbour, one of the best on the Patagonian coastline, had been formerly discovered in 1520,by Juan Rodriguez Serrano, a member of Magellan's crew. In the beginning, the place was called Colonia Nacional Agrícola, and declared capital city of the National Territory until 1898, when Río Gallegos was declared capital city of the said National Territory. The Santa Cruz River estuary is also famous for its tides: In extraordinary syzygies, the sea level can vary up to 14.6 meters. On December 19, another national, 34,500-hectare agriculture colony was created, in the centre of which a new town was founded by the name of San Julián. San Julián's excellent harbour had already been discovered by Hernando Magellan on Easter Eve, March 31, 1520 (by the way, Magellan gave the place the name of San Julián too). It is said that this is the spot where Magellan, who had stopped there during a 4-month winter stay, gave natives the name of Patagones, or big-footed people. Francis Drake also reached land there. In 1781, Antonio de Viedma founded a colony by the name of Floridablanca, seven kilometres away from Magellan' s landing place, where wheat, oats and barley were succeffully sown. Even so, the colony was abandoned in 1783.

In the late 19th century, both the conquest and colonization of the Patagonia had come to an end. Political organization and industrialization processes would be the following steps toward transforming the "Far South" into a homogenous part of South America.

La presente edición se terminó
de imprimir en Buenos Aires, Argentina
en abril de 2003.